1ª edição
20.000 exemplares
Março/2016

Capa e projeto gráfico
Juliana Mollinari

Diagramação
Juliana Mollinari

Revisão
Alessandra Miranda de Sá

Assistente Editorial
Ana Maria Rael Gambarini

Coordenação Editorial
Ronaldo A. Sperdutti

O produto da venda desta obra é destinado à manutenção das atividades assistenciais da Sociedade Espírita Boa Nova, de Catanduva, SP.

1ª edição: Março de 2016 - 20.000 exemplares

virtudes do amor

Roberto de Carvalho
inspirado pelo Espírito Valentim

Instituto Beneficente Boa Nova
Entidade coligada à Sociedade Espírita Boa Nova
Av. Porto Ferreira, 1.031 | Parque Iracema
Catanduva/SP | CEP 15809-020
www.boanova.net | boanova@boanova.net
Fone: (17) 3531-4444

Dados Internacionais de Catalogação na Publicação (CIP)
(Câmara Brasileira do Livro, SP, Brasil)

Valentim (Espírito).
Eternas virtudes do amor / inspirado pelo espírito Valentim ; [psicografado por] Roberto de Carvalho. -- Catanduva, SP : Boa Nova Editora, 2016.

ISBN 978-85-8353-042-8

1. Espiritismo 2. Psicografia 3. Romance espírita I. Carvalho, Roberto de. II. Título.

16-01673 CDD-133.9

Índices para catálogo sistemático:

1. Romance espírita psicografado : Espiritismo 133.9

Sumário

Apesar de abordar um tema de extrema importância e, ao que tudo indica, fruto de uma experiência verdadeira do autor espiritual, este romance é uma obra inspirada, que tem por finalidade divulgar o espiritismo por meio dos ensinamentos básicos de sua Doutrina, principalmente no que se refere à lei de causa e efeito, imortalidade da alma e comunicabilidade entre os planos material e espiritual.

Todos os personagens aqui apresentados são ficcionais. Portanto, qualquer semelhança com nomes de pessoas, lugares e comportamentos terá sido apenas coincidência.

introdução do autor espiritual

Quero pedir aos leitores que perdoem os termos por vezes rigorosos pelo excesso de sinceridade com que transcrevo a minha trajetória de vida na última encarnação, finalizada há pouco tempo. Confesso não possuir muitos pendores para a escrita e espero que possamos compensar essa deficiência, transformando este relato numa obra minimamente literária.

O que me move é o desejo sincero de me tornar um ser humano melhor a partir da conscientização adquirida pelos infortúnios. Espero ser de alguma forma útil a quem ler este depoimento póstumo – se é que esse termo pode ser usado no meu caso. Póstumo significa "depois de morto", e a verdade é que me sinto inteiramente vivo enquanto transmito ao autor material, via pensamento, essas reflexões.

Dormi na matéria para acordar enredado em atribulações e novidades que jamais julguei existirem, enquanto vinculado ao corpo físico. A lei do esquecimento, à qual somos submetidos a cada nova experiência encarnatória, e que nos protege de nossas próprias mazelas, livra-nos também da lembrança de como ocorre a passagem para esses estágios interdimensionais.

Fora isso, não há muita diferença entre estar na dimensão física ou na espiritual, pois nos posicionamos sempre no lugar em que a nossa consciência nos coloca, submetidos que somos também às leis de atração e de causa e efeito.

A verdade é que, estando num plano ou no outro, os sentimentos que nos movem não se alteram substancialmente em curtos períodos; ódios, egoísmos, invejas, ciúmes e ambições são poderosos germes enraizados em nós e que vão sendo substituídos à medida que aprendemos a colocar em prática o amor ao próximo, num lento processo de transformação moral, cheio de dores, revoltas e incompreensões.

Certamente as revoltas são abandonadas a partir do momento em que passamos a compreender melhor o funcionamento das leis divinas; a acreditar que nenhum sofrimento nos alcançará se nada fizemos para merecê-lo. Mais ainda: que a dor não baterá à nossa porta se não tiver o objetivo de nos favorecer de algum modo.

Tive o privilégio de nascer num lar materialmente bem provido e de conviver com pessoas esclarecidas. Fui conduzido para o caminho da política, tendo exercido a função de prefeito de minha cidade em mais de um mandato – maravilhosa oportunidade de, coletivamente, praticar o bem. Convivi com desafetos de vidas passadas, tendo a chance de praticar o perdão. Reencontrei a mulher que amo verdadeiramente e tive a chance de provar o quanto ela é importante para mim...

Desempenhei bem o meu papel? Aproveitei todas as oportunidades que o Criador me concedeu para galgar alguns degraus em minha escalada evolutiva? Cheguei ao fim daquela experiência com a sensação do dever cumprido e a consciência em paz?

Que o prezado leitor tire as suas conclusões e responda por si mesmo a essas perguntas, ao final da leitura. De minha parte, resta vibrar para que o honesto depoimento deste "morto" sirva de diretriz àqueles que ainda têm tempo de repensar as suas atitudes, a fim de não repetirem os equívocos que cometi e não desperdiçarem a maravilhosa oportunidade concedida pelo processo da reencarnação.

Muita paz!

introdução do autor material

Falando sobre o mau uso dos bens materiais, em Lucas, 16:19-31, Jesus narra a história de um homem muito rico, em cuja porta se sentava um mendigo chamado Lázaro, que tinha o corpo coberto por chagas e a quem o rico não dava sequer as migalhas de sua mesa.

Quando o mendigo desencarna, tendo enfrentado com resignação uma vida de dolorosas provações, eleva-se para as esferas superiores, onde passa a conviver ao lado dos bons Espíritos. O rico também morre e vai para um lugar de grandes tormentos, onde se sente queimando por uma chama inesgotável, certamente uma projeção de sua consciência pesada.

Vendo Lázaro ao longe, o rico implora aos Espíritos benfeitores que o deixem ir até ele, para que o mendigo molhe a ponta do dedo e ao menos refresque a sua língua. Mas os Espíritos dizem que é impossível, pois o abismo que há entre eles é intransponível, lembrando ao rico que ele havia recebido os seus bens na terra e fizera deles o uso que julgara conveniente, enquanto Lázaro estava recebendo a sua recompensa no plano espiritual.

Então o rico pede que o mendigo vá, em Espírito, dar testemunho aos seus irmãos que ainda estão encarnados, para que eles, vendo que a vida possui desdobramentos depois da morte física, repensem suas atitudes.

Mas os Espíritos superiores lhe dizem:

– Se os seus irmãos não acreditam nas escrituras e nas pessoas que têm por missão divulgar as leis divinas, tampouco acreditarão em Lázaro, mesmo que ele ressuscite.

No romance *Eternas virtudes do amor*, deparamo-nos com o drama do autor espiritual, que sugere o pseudônimo Valentim para descrever a trajetória de sua última encarnação. Assim como o rico avarento e egoísta sobre o qual Jesus nos fala, o protagonista dessa trama se deixa levar por sentimentos menores, conduzindo a vida de forma bastante equivocada.

É uma história que começa pelo final, ou seja, a partir do momento em que Valentim, rico e preconceituoso, é destituído de suas posses materiais pelo processo da desencarnação. Durante o período de conscientização que enfrenta, depara-se com os infortúnios de seus equívocos, tanto na vida pessoal quanto na condição de homem público, agindo como político corrupto, hipócrita e egoísta.

Seu depoimento é um alerta para aqueles que insistem em encarar o mundo apenas pelo viés do materialismo, esquecidos de que tudo o que se refere à vida material é tão transitório e efêmero quanto a própria existência humana neste plano; que ao final de cada experiência encarnatória prestaremos contas de tudo aquilo que nos foi dado por empréstimo como ferramenta para o nosso aperfeiçoamento moral.

A experiência de Valentim vem nos confirmar ainda que a lei da reencarnação é um sagrado instrumento de retificação, por meio do qual as faltas cometidas são reparadas. Qualquer oportunidade desperdiçada de se praticar o amor, o perdão e a caridade é dolorosamente lamentada a cada ajuste de contas com as leis divinas, que se encontram gravadas na consciência humana.

Rogamos a Deus que este singelo trabalho possa alcançar os objetivos de esclarecimento e conscientização a que se propõe.

Que Jesus nos abençoe!

Capítulo 1

PERTURBAÇÃO

No momento da morte tudo, a princípio, é confuso; a alma necessita de algum tempo para se reconhecer; ela se acha como aturdida e no estado de um homem saindo de um sono profundo e que procura se dar conta de sua situação. A lucidez das ideias e a memória do passado lhe retornam à medida que se apaga a influência da matéria da qual se libertou, e se dissipa a espécie de neblina que obscurece seus pensamentos.

O Livro dos Espíritos – Questão 165 – Boa Nova Editora

Eu havia acordado há um bom tempo naquela manhã, mas não conseguia deixar a cama. Não sabia se não queria ou se não havia meios de fazê-lo. A verdade é que me sentia incapaz de levantar. Parecia que uma força irresistível mantinha-me pregado ao leito. Além disso, havia outra perturbação que me incomodava ainda mais. Tratava-se de um estado de consciência que até então não havia me atazanado os sentidos.

Era tudo muito estranho, mas parecia que eu havia perdido, de uma hora para outra, a capacidade de me manter na ilusória condição em que vivia, adornando-me de falsas glórias, alimentando a presunção de querer ser o que na verdade nunca fui.

Eu não entendia como aquilo ocorrera tão repentinamente. Até então, vivia do modo como vive muita gente de aparência imaculada: enovelado em sandices, desfrutando os benefícios de minhas falsas, porém convincentes, qualidades. E esses artifícios nunca antes haviam me incomodado.

De repente, passei a repudiar o poder ilusório que sempre persegui e que me fora conferido pela sociedade dos homens falsos (alguns ainda piores do que eu), os quais me incentivaram a acreditar em tantas inverdades – convincentemente dissimuladas –, ajudando-me a chafurdar no lodaçal dos enganos, da desonestidade e da hipocrisia.

Sentia agora que os conceitos inconsistentes do passado me eram arrancados à força pelo poder de algo que eu não conseguia ver, mas que me envolvia e dominava completamente. Uma inevitável inquietação que por certo já me espreitava de bote armado atrás de alguma moita sombria de meu subconsciente.

Concluí, com aterrorizante clareza, que não era nem um fiapo daquilo que julgava ser. Mais ainda! Percebi, com toda a nitidez dos meus sentidos mais sóbrios e apurados, que andara gastando demasiado tempo e energia com coisas e pessoas superficiais, ilegítimas, que não valiam um milésimo da dedicação que lhes prestara. Vi que dera pouquíssimo ou nenhum crédito àqueles que realmente mereciam, e que andara equivocado em minhas escolhas afetivas.

A claridade dessa nova consciência foi tão arrebatadora e imensurável, que não admitiu qualquer desculpa, expondo um quadro febril, do qual, por mais que eu relutasse, não conseguia me libertar.

Inquietava-me saber que a maioria das pessoas continuava acreditando no falso homem que moldara em mim, nos inúmeros títulos honrosos com que fora agraciado pela fingida benemerência, mas, principalmente, pelos interesses escusos de quem podia concedê-los.

Porém com esses hipócritas que vendem ilusões a peso de ouro eu não estava preocupado. A maioria deles conhecia a minha natureza fraca e sabia o preço que eu pagava pelo enriquecimento moral de minha biografia. Minha consciência não se sentia culpada em relação a esses. Mas, em relação aos outros, sim! A eles eu gostaria de me dirigir naquele momento em que a luz da consciência me envolvia inteiramente; em que se descerrava o véu que encobria meu ser desprovido de virtudes e valores, e dizer-lhes com toda a convicção de minha alma:

– Eis aqui o verdadeiro homem com quem vocês conviveram todo esse tempo. Aqui está ele, finalmente desnudado de ilusões e de inverdades. Aqui está o falso puritano que fingia idoneidade, mas não perdia uma única chance de ser impuro; o político corrupto que pregava a honestidade e a ética; o marido que fingia amar a esposa apenas para conquistar a simpatia do eleitorado; o pai omisso; o falso amigo que falava em solidariedade, mas regozijava-se com o fracasso dos seus pares; o religioso que fingia ter fé, mas que intimamente descria de Deus e O desafiava com procedimentos condenáveis.

Se pudesse fazê-lo, eu sentiria um grande alívio em minha alma. A consciência não pesaria tanto. Seria abrandada a inquietação daquele inevitável holofote psíquico que se refletia dentro de mim e me desprovia de qualquer artifício de desculpa, provocando a insuportável e estranha sensação de constrangimento, dor e tristeza que me assolava.

Mas eu não conseguia fazer nada! Estava retido em meu leito, sentindo-me completamente inutilizado. Ainda não havia entendido por que Elma chorava tanto. Por que Augusto e Netinho estavam em meu quarto naquela manhã? Teria acontecido alguma coisa e não me avisaram? A cidade não era tão grande. Todos nos conhecíamos e a maior parte dos moradores havia votado em mim nas últimas eleições.

De repente, ouvi o anúncio fúnebre propagado pelo alto-falante da igreja, mas não acreditei em meus ouvidos. O padre anunciava que o prefeito havia sofrido um infarto fulminante durante a madrugada. Falou que a família, enlutada, convidava a todos para o velório no salão nobre da prefeitura. Convidava também para o sepultamento na manhã do dia seguinte.

Desesperei-me! Havia ali um grande equívoco! O prefeito era eu, mas eu não estava morto. Estava em meu leito, vendo minha esposa e meus filhos ao meu lado. Eu estava mais vivo do que nunca! O único problema é que não conseguia me despregar daquela cama; levantar-me, correr até a janela, escancará-la e gritar para a cidade inteira que prosseguia vivo; que o padre estava delirando ao fazer tal anúncio.

Invenção dos opositores? Sim! Por que não? Aquela gentinha ordinária era capaz de qualquer coisa para me afrontar. O Olegário e o traidor do Fabiano certamente estavam por trás daquilo. Talvez eu houvesse mesmo sofrido um infarto, afinal meu coração já havia dado vários sinais de fraqueza nos últimos tempos e a cicatriz em meu peito não me deixava esquecer de que ele já fora manipulado pelos médicos.

A acirrada campanha para a eleição do meu filho a fim de me substituir na prefeitura andava exigindo sacrifícios além das minhas possibilidades. A briga que tivera com o meu adversário na noite anterior tinha me deixado em frangalhos... Mas daí a estar morto havia uma distância muito grande. Eu tinha apenas 53 anos!

E bastou a lembrança dos meus adversários para que o meu estado de humor se alterasse e me confundisse os pensamentos. Valeria a pena abraçar aquele conceito de honestidade, tendo uma estreita convivência com tanta gente devassa? Não! Eu já não tinha certeza de mais nada.

Apesar de impaciente, decidi ficar quieto, esperando o momento em que alguém, percebendo o equívoco, retirasse-me daquela cama. Mas o tempo foi passando e nada de novo aconteceu. Fui envolvido por um cansaço e uma sonolência incontroláveis. Peguei no sono...

Acordei dentro de uma urna. Um cheiro terrível de flores murchas e cera queimada invadiu-me as narinas. Percebi que estava no centro do salão da prefeitura. Encontrava-me deitado de costas, com os braços cruzados apoiados no peito. Vi um desfile imenso de pessoas que se inclinavam sobre o meu rosto, benziam-se e diziam coisas ininteligíveis. De novo a canseira, o sono... Voltei a dormir.

Sem saber quanto tempo havia se passado, senti cheiro de terra úmida, recém-revirada. Vi imagens desfocadas de cruzes e sepulcros com anjos de faces marmóreas. Assustei-me ao perceber que estava no cemitério, dentro de uma cova. Um impulso sobre-humano me arrojou dali antes que a primeira pazada de barro caísse sobre a tampa do ataúde, promovendo um barulho oco. Uma vertigem estonteante pareceu arrebatar-me para o alto e, a seguir, para baixo.

Agora eu estava novamente em minha casa. Não fazia a menor ideia de como havia chegado ali, mas encontrava-me de novo em meu quarto, sobre a minha cama. Tentei me confortar, convencendo-me de que aquele pesadelo era temporário. Alguém haveria de perceber o engano e cuidar de mim. Eu só precisava ter paciência, esperar um pouco mais, vencer a ansiedade que tentava me enlouquecer. Alguém, em algum momento, haveria de se aproximar e falar comigo.

Era só esperar... Era só ter paciência...

Capítulo 2

REMINISCÊNCIAS

Todos os homens estão submetidos às mesmas leis da Natureza. Todos nascem com a mesma fraqueza, estão sujeitos às mesmas dores e o corpo do rico se destrói como o do pobre. Portanto, Deus não deu a nenhum homem superioridade natural, nem pelo nascimento, nem pela morte. Diante d'Ele, todos são iguais.

O Livro dos Espíritos – Questão 803 – Boa Nova Editora

Enquanto esperava que me acudissem, fiquei recapitulando lembranças de minha vida, como se prestasse contas das minhas atitudes a um juiz invisível. E fui encontrando tropeços que não julgava existirem. Na verdade, nunca atinei para detalhes aparentemente insignificantes, mas que assumiam agora dimensão e peso extraordinários.

Nasci e fui criado numa dessas infinidades de municípios perdidos pelo interior do Brasil. Uma cidade bonita e agradável, com uma praça central arborizada com palmeiras gigantes, em torno da qual foram edificadas as construções mais suntuosas da localidade: a igreja, a prefeitura e a câmara de vereadores.

A escola pública também ficava nas imediações, mas não ostentava a mesma opulência. Funcionava numa espécie de galpão dividido em pequenas salas, coberto por um grosso telhado de zinco que se transformava num verdadeiro crematório nos dias de sol forte.

Meu pai fora um respeitado homem público, conhecido como Conselheiro Borges, a quem os outros cumprimentavam fazendo respeitosa mesura. O título honroso que lhe antecedia o sobrenome foi conquistado e se popularizou por conta de sua grande influência política e pelos conselhos que dava às autoridades da região. Ele era um talentoso articulador político e até seus adversários o respeitavam por isso.

Dona Generosa, minha mãe, era uma mulher pequenina, de gestos delicados e voz suave. Lecionou na escola primária até se aposentar. Fazia trabalhos voluntários e cuidava da casa: um antigo sobrado adornado com janelas de ipê e um telhado ocre de telhas coloniais, que se localizava numa das ruas mais movimentadas da cidade.

Fui uma criança relativamente feliz. Não tive irmãos e não compreendia por que uma família pequena como a minha precisava de uma propriedade tão grande para morar. Naquele município, onde se encontrava muito mais gente pobre do que rica, havia famílias imensas, às vezes com mais de dez integrantes, morando em casebres miseráveis, andando aos molambos pelas ruas.

Um desses exemplos era a família de um homem conhecido por Tião do Brejo. Ele ganhou esse apelido por morar com a esposa – alcunhada de Maria Tonta, devido à sua flagrante nulidade intelectual – e uma penca de filhos numa área invadida, um charco impróprio para moradia, às margens do suntuoso rio que cortava e supria de água o município.

Por ocasião dos temporais, a enchente invadia-lhe o casebre deixando para trás um rastro de destruição, lama fétida e animais peçonhentos que passavam dias amontoados pelos cantos, ameaçando a saúde e a segurança das crianças. Os meninos mais velhos do Tião do Brejo acompanhavam o pai nas empreitadas de roçado, plantio e colheita nas fazendas. Os menores perambulavam pelas ruas esmolando migalhas, com suas carinhas encardidas, seus ventres estufados pelas verminoses e os olhos vagos de quem vive sem perspectivas.

Para piorar a aziaga visão que se tinha daquela família, criou-se na cidade a lenda de que o sujeito alimentava sua prole com paneladas de sapos capturados no charco. Em função disso, ao depreciativo apelido de Tião do Brejo seguia-se o aposto explicativo: "o comedor de sapos".

O primeiro questionamento que fiz a meu pai sobre as diferentes sortes dos homens ocorreu quando eu deveria ter algo entre dez e doze anos de idade, sem saber exatamente por que me ocupava daquilo.

– Por que há pobreza no mundo, meu pai? – perguntei, abandonando por um tempo o lápis e o caderno de lições sobre a escrivaninha, olhando interrogativamente para ele.

– Tudo o que há no mundo foi criado por Deus – disse-me o Conselheiro Borges, depois de expectante silêncio em que se manteve de olhos fechados.

– Inclusive a pobreza?

A explicação que ouvi foi determinante para moldar a minha personalidade e definir o meu ponto de vista sobre as graças e desgraças dos homens neste celeiro humano chamado Terra:

– Valentim, meu filho, entenda uma coisa: Deus criou o pobre para servir ao rico. Afinal de contas, se todos fossem ricos, quem iria puxar enxada no eito e foice no roçado? Quem iria abrir valas e sepulturas? Varrer as ruas? Operar o maquinário nas indústrias...?

– E se todos fossem pobres? – emendei.

O Conselheiro Borges raspou a garganta, tossiu de lado e enfatizou com o dedo em riste:

– Se todos fossem pobres, não haveria capital para mover o mundo e todos morreriam de fome.

E explicou que a convivência entre pobres e ricos representa um equilíbrio tão natural quanto a ordem da cadeia alimentar entre as espécies.

– Veja que belo exemplo, meu filho: a terra e a água, que são minerais, alimentam os vegetais; estes suprem os animais herbívoros, que servem de alimento aos carnívoros. Ou seja, uns devoram os outros e não há aí nenhuma injustiça, porque, se assim fosse, Deus haveria se equivocado. Mas, segundo o que apregoam os religiosos, Ele nunca se engana. O que ocorre na natureza é um ciclo normal de sobrevivência em que cada um cumpre o papel que lhe cabe.

E encerrou a lição, que no seu modo de ver era elucidativa, com a seguinte observação:

– Alguns homens nascem para mandar e outros para obedecer. Essa é a ordem natural das coisas – afirmou peremptório, apoiando a mão em meu ombro e encarando-me com seriedade.

O que ele não explicou – possivelmente porque também não o soubesse – foi sobre os critérios que Deus utiliza para demarcar a sorte dos homens. Por quais razões o Criador decidiu, por exemplo, que o Conselheiro Borges seria rico e poderoso, e o Tião do Brejo, um miserável esfomeado? Por que determinou que dona Generosa seria uma inteligente educadora e a Maria Tonta, uma aluada parideira?

Provavelmente, se eu tivesse levado a termo o questionamento, meu pai teria feito um longo discurso sobre fatalismo, personalidade empreendedora de alguns homens, preguiça e comodismo de outros... Mas não daria uma resposta conclusiva. Apesar da entonação impositiva de sua voz, suas palavras seriam uma meia verdade, meras suposições, possibilidades, alusões...

De qualquer modo, ficou gravado em minha mente o fato de que o Conselheiro Borges era um grande exemplo de prosperidade e o Tião do Brejo, o modelo perfeito do fracasso.

Tempos depois, conversando sobre o mesmo assunto com minha mãe, ouvi dela praticamente a mesma coisa que meu pai havia falado, mas dona Generosa acrescentou um ponto a mais:

– De fato, é necessário que haja pessoas em diferentes níveis sociais e intelectuais, para que se mantenha o equilíbrio no mundo – disse ela. – No entanto, todo homem, independentemente do papel que desempenhe na sociedade, deve respeitar o próximo. O rico não deve humilhar o pobre, e o pobre não deve odiar ou invejar o rico.

Quando questionei sobre a má sorte do Tião do Brejo e da Maria Tonta, ela me corrigiu na hora:

– Respeitar o próximo significa também tratá-lo com dignidade, Valentim. Apelidos depreciativos são uma forma cruel de humilhação. Portanto, meu filho, refira-se sempre a eles como o senhor Sebastião e a dona Maria.

Achei estranhíssimo aquilo. Na minha displicência de menino, nem havia me ocorrido que Tião é uma forma reduzida do nome Sebastião. E, por mais respeito que tivesse às opiniões de minha mãe, não me entrava no juízo tratar a esposa aluada e encardida do Tião do Brejo de "dona" Maria. Eu achava que eram tratamentos nobres demais para uma gente tão desenxabida. Sem contar que me tornaria motivo de chacota, se as pessoas me ouvissem tratando-os com tanta deferência.

As ponderações de dona Generosa até me pareceram sensatas, mas muito distantes da realidade. Eu não conseguia imaginar, por exemplo, o poderoso Conselheiro Borges tirando o chapéu para cumprimentar o molambento Tião do Brejo, ou o infeliz sujeito e seus familiares deixando de invejar a condição privilegiada de famílias abastadas como a minha.

Capítulo 3

JUVENTUDE

Assim, a diversidade das aptidões do homem não resulta da natureza íntima de sua criação, mas do grau de aperfeiçoamento ao qual chegaram os Espíritos encarnados. Deus, portanto, não criou desigualdades de faculdades, mas permitiu que os diferentes graus de desenvolvimento estivessem em contato, a fim de que os mais adiantados pudessem ajudar o progresso dos mais atrasados, e, também, a fim de que os homens, tendo necessidade uns dos outros, cumprissem a lei de caridade que os deve unir.

O Livro dos Espíritos – Questão 805 – Boa Nova Editora

Cresci sob o cabresto do meu pai, seguindo o caminho que o Conselheiro traçou para o meu destino. Quando completei os estudos máximos que poderia alcançar em minha cidade, fui enviado para um município maior, onde me instalei numa república de estudantes e me formei em Direito, como o meu pai desejava.

Desse período não guardei grandes lembranças, a não ser das primeiras descobertas e dos primeiros sustos no campo afetivo e sensual. Conduzido por colegas mais experientes, e incentivado pelo efeito de bebidas alcoólicas, andei frequentando lugares destinados aos prazeres da carne e por pouco não caí na perdição do vício, como ocorreu com alguns de meus companheiros de estudos.

Na verdade, resisti a todas aquelas tentações muito mais por temor ao meu pai do que propriamente por convicção. Retornei à cidade natal com o diploma na bagagem, para orgulho do Conselheiro, mas nunca exerci a profissão.

Logo após a formatura, meu pai adoeceu gravemente e se tornou imprestável para o trabalho. Ele era relativamente novo, mas havia um histórico complicado de doenças cardiorrespiratórias em nossa família. Precisei assumir o timão da vida e dei segmento aos negócios do Conselheiro.

Meu pai possuía vários investimentos que rendiam lucros consideráveis e não exigiam grandes sacrifícios braçais. A parte dura da lida recaía sobre aqueles que, segundo os conceitos dele, “nasceram para obedecer”.

Um dos segredos de suas bem-sucedidas atividades financeiras estava no financiamento de variadas produções agrícolas, principalmente as voltadas para a exportação. O produto era adquirido por um preço bem baixo no início do processo – ou mesmo antes do plantio – e revendido por valores imensamente maiores num curto espaço de tempo, quando negociado com os distribuidores.

Naturalmente, havia riscos nessas atividades, como há em qualquer outra. Mas a sabedoria do Conselheiro Borges, a sua visão prática e eficiente de grande investidor jamais permitiu que prejuízos esporádicos abalassem a firme estrutura de seus rentáveis negócios. Havia sempre uma saída estratégica, uma cláusula contratual permitindo jogar sobre os ombros de terceiros a responsabilidade pelos danos e a obrigação de trazer de volta à conta o capital extraviado.

Estratagemas honestos e justos? Nem sempre! Segundo a visão austera do Conselheiro, não existiam homens cem por cento honestos no mundo, e aqueles que se candidatavam a "santos" dificilmente amealham riqueza, respeito e notoriedade – qualidades que ele julgava realmente importantes em um ser humano.

As atividades comerciais eram administradas num escritório com porta para a rua, montado num canto do imenso quintal de nossa residência. Ali era também uma espécie de extensão do diretório do partido, local de importantes reuniões nas quais se delineavam praticamente todas as estratégias político-administrativas do município.

Com a morte do meu pai, herdei seus bens, seu prestígio, sua ambição e a entonação estrondosa de sua voz de comando. Seguindo o rastro do Conselheiro, angariei a simpatia e o respeito dos homens que mandavam e desmandavam naqueles rincões e, ainda bem jovem, acabei me tornando um deles.

Dona Generosa, sempre sensata e coerente, aconselhava-me a seguir com calma, a não agir precipitadamente, a não ser prepotente nem arrogante em minhas ações, mas as palavras dela tinham duração efêmera em meu juízo. Eram como o flash de um relâmpago que, mal tendo surgido, já se dissipava.

Naquela estranha manhã em que não pude deixar a

cama foi que percebi que minha mãe havia sido a única vertente de luz a alumiar o ambiente obscuro em que fui criado e no qual, depois de adulto, acabei impondo as mesmas regras equivocadas.

Fazendo jus ao nome que lhe caía tão bem, dona Generosa era a generosidade em pessoa, e somente agora eu percebia que, se tivesse ouvido mais as palavras dela e seguido – um pouco que fosse – os seus conselhos e exemplos, não seria tão perturbado por aquelas inquietantes cobranças interiores.

O problema é que, até para colocar em prática as ações caridosas, a coitada precisava driblar a má vontade do marido e, mais tarde, também a minha implicância.

– Ajudar os pobres é incentivar a preguiça!

– A um vagabundo não se dá esmola. Manda-se procurar trabalho!

– Alimentar gente que passa fome por preguiça é atirar pérolas aos porcos!

Esses eram os bordões que passei a infância ouvindo de meu pai e que depois comecei a repetir, cheio de soberba, como se fossem as frases mais inteligentes e sensatas do mundo.

Minha mãe discordava, mas não discutia. Jamais ergueu a voz para impor a sua opinião; jamais exigiu obediência e respeito, mas nunca deixou de fazer o que julgava importante. Tudo o que dizia era num tom de voz calmo, tranquilo. Todas as suas atitudes eram equilibradas e visivelmente envolvidas por uma aura de amor incondicional.

Ao contrário do Conselheiro Borges, que era um homenzarrão imenso em altura e circunferência, dona

Generosa era miúda e grácil. Parecia que toda a paz do mundo estava concentrada naquele corpinho mirrado, naqueles olhinhos miúdos e translúcidos.

Somente agora essas características me soavam como qualidades. Quantas vezes eu me irritara com as cordialidades que minha mãe dedicava às pessoas consideradas inglórias? Às doações de tempo e gêneros a quem, a meu ver, não merecia consideração? Assim como meu pai, eu não via aquilo com bons olhos e achava mesmo uma tremenda pieguice, uma ingenuidade sem precedentes.

À época dos conselhos que não quis ouvir de dona Generosa, eu me regozijava com a cega obediência dos camaradas submissos, que dependiam de mim para alimentar suas proles. Sentia um prazer imenso em receber elogios e bajulações. Sobressaía-me entre os homens fortes e poderosos da região. Os negócios iam bem. Havia recursos em grande quantidade, e eu logo descobri que praticamente tudo podia ser adquirido com dinheiro.

Agir com calma e prudência, como minha mãe sugeria, soava para mim como um gesto de fraqueza sobre o qual muitos aproveitadores de plantão acabariam tripudiando.

Capítulo 4

SONHO

A posição elevada neste mundo e a autoridade sobre seus semelhantes são provas tão grandes e tão arriscadas quanto a infelicidade, porque, quanto mais se é rico e poderoso, mais se tem obrigações a cumprir, e maiores são os meios para se fazer o bem e o mal. Deus experimenta o pobre pela resignação, e o rico pelo uso que faz dos seus bens e do seu poder.

O Livro dos Espíritos – Questão 816 – Boa Nova Editora

Eu era ainda muito jovem quando me candidatei pela primeira vez ao cargo de prefeito de minha cidade. Na verdade, não me sentia preparado para aquilo, mas os correligionários do partido disseram que não havia um candidato mais apropriado do que eu. Usaram, inclusive, o argumento de que a comoção pela morte recente do meu pai me ajudaria a vencer a eleição, frustrando as pretensões do Olegário, contumaz adversário político que tentava se eleger a qualquer custo.

Estivemos longe de vencer. O candidato concorrente

– inimigo declarado do Conselheiro e agora meu – era ardiloso ao extremo.

– Uma raposa astuta e desleal! – dizia o pessoal do meu partido.

Ele convenceu os eleitores de que eu não tinha maturidade suficiente para administrar o município. Um dos seus argumentos mais convincentes foi a alegação de que seu oponente era jovem demais e solteiro.

– Um frangote! Um fedelho recém-desmamado que é capaz de fazer na prefeitura o que há bem pouco tempo fazia nas fraldas – dizia ele em seus discursos, arrancando gargalhadas e pilhérias. – Tão imaturo, que nem sabe ainda o que é compartilhar o lar com uma esposa; o que é a responsabilidade de ser um pai de família.

Esse jeito sarcástico de fazer política me deixou enojado e me irritou profundamente, decretando minha eterna aversão ao candidato oponente. Olegário era apenas dez anos mais velho do que eu, mas possuía muito mais experiência política, tendo atuado ativamente nas campanhas eleitorais desde a adolescência.

Outro que ficou bastante irritado com as afrontas do Olegário foi o Fabiano. Ele era meu primo em segundo ou terceiro grau – nunca cheguei a uma conclusão sobre isto – e praticamente fomos criados juntos. Dois anos mais velho, Fabiano representava o irmão que eu não tivera. Éramos unidos por um sentimento dúbio, que mesclava fraternidade com alguns respingos de aversão.

Apesar de possuir o mesmo sobrenome do Conselheiro Borges, o pai de Fabiano era um modesto sitiante, e ele não teve as mesmas oportunidades e facilidades que eu tive na vida, já que passou toda a juventude preso aos trabalhos do sítio de sua família.

Depois que assumi os negócios, ofereci ao meu primo um salário razoável, e ele passou a ser para mim uma espécie de guarda-costas, além de assessor para todo e qualquer assunto, permanecendo sempre à minha disposição. Aliás, essa dedicação de alguma forma já existia antes, mas agora o Fabiano era devidamente remunerado para a função.

Sujeito corajoso, de porte elevado e semblante sério, ele se ofereceu para dar uma lição no Olegário. Ameaçou pegar o sujeito às escondidas, numa tocaia, e aplicar-lhe um inesquecível corretivo. A proposta me soou razoável, mas, quando chegou ao conhecimento dos correligionários, evaporou-se.

– Ninguém vai se envolver em crime político aqui – disseram vozes estrondosas e intimidadoras. – Querem dar mais combustível para a fogueira festiva do Olegário? Para transformá-lo em mártir? Vocês estão loucos?

E não se falou mais sobre o assunto.

Mas, no dia da apuração dos votos confirmando a vitória do meu concorrente, eu caí enfermo. O desapontamento que senti se manifestou na forma de umas pontadas dolorosas que se distribuíam entre o peito e as costas.

Não adiantou minha mãe tentar me pacificar, pois a raiva e as dores não cederam com os chás caseiros nem com os comprimidos que dona Generosa me convenceu a engolir. Esbravejei, esmurrei paredes e móveis e dormi desassossegado naquela noite.

Durante o sono inquietante e perturbador, sonhei com o meu pai. No sonho, eu caminhava por uma região inóspita quando vi a silhueta do Conselheiro Borges através de uma espessa neblina, a uma boa distância, acenando freneticamente para mim.

– Valentim! Valentim, meu filho!

Parei e perguntei:

– Quem é?

– Sou eu, o seu pai... – ele respondeu.

Sua voz parecia sussurrada, difícil de ouvir. Coloquei as mãos em concha nos ouvidos, à imitação de antenas parabólicas voltadas para a direção em que ele estava.

– Pai? É mesmo o senhor?

– Sim, meu filho. Preciso falar com você... Dar-lhe uns conselhos...

Tive a impressão de que foi isso que ele disse, mas não havia certeza. Suas palavras soavam truncadas, ininteligíveis.

– Desculpe, mas não consigo ouvi-lo direito, pai. Dá para chegar mais perto?

Ele ficou ainda mais agitado. Olhou em volta, possivelmente procurando um meio de contornar o abismo que nos separava. Ameaçou saltá-lo, mas desistiu, pois era impossível. Abriu os braços, desanimado.

– Não dá, filho! Ouça-me, por favor! – Embora sua voz chegasse com dificuldade aos meus ouvidos, deu para perceber que ele estava quase chorando. – Ouça, meu filho... Por favor... – ficou repetindo.

– Não consigo, pai! Perdoe-me... Não consigo ouvi-lo...

E, mesmo contra a vontade, fui me afastando daquele

lugar. Parecia que uma força invisível me impulsionava para longe. À medida que me afastava, ouvia a voz do meu pai cada vez mais distante e desesperada:

– Espere, Valentim... Não vá embora... Preciso lhe falar...

Acordei com o peito oprimido por um sentimento de angústia. O dia estava amanhecendo, e minha mãe conversava na cozinha com uma das serviçais que nos atendiam.

Olhei em volta, tentando visualizar qualquer sinal na penumbra do quarto que denunciasse a presença de meu pai. O sonho havia sido tão real, que eu tinha a sensação de que o Conselheiro estava ali, perto. Mas nada disso se confirmou.

Logo depois, à mesa do café, boa parte da impressão deixada pelo sonho já havia se dissipado. Ainda assim contei-o à minha mãe. Ela acreditava piamente na comunicação entre vivos e mortos. Era uma grande admiradora do médium Chico Xavier e havia lido diversas obras psicografadas por ele. Admirava também, entre outros ícones do espiritismo no Brasil, o médico benfeitor Bezerra de Menezes. Admirava-os não apenas pelo que os dois diziam, mas, principalmente, por suas vidas repletas de boas ações.

O que inseriu os preceitos do espiritismo na vida de minha mãe foi a convivência com o avô materno, chamado Laurindo. Ainda jovem, ele havia provocado uma agitação sem precedentes na localidade, com ideias sobre reencarnação e comunicação com os mortos. Fez isso depois de ler um exemplar de *O Livro dos Espíritos*, que por obra do acaso caíra em suas mãos.

Após a leitura do livro, Laurindo se descobriu médium de cura e dedicou a vida a cuidar de muitos enfermos, tratando-os com as chamadas "garrafadas", ou seja, medicamentos caseiros preparados com ervas e raízes, normalmente dissolvidos em chás ou vinho doce.

Além disso, ele possuía uma magnífica clarividência, que lhe permitia ver e conversar com Espíritos a qualquer momento e em qualquer lugar que estivesse, ajudando muitas almas desviadas a encontrarem o rumo perdido.

Dona Generosa dizia que a vida de Laurindo não fora fácil. Cansara de ser tachado de "enviado do coisa-ruim", e o padre que à época comandava a paróquia local – religioso extremamente ortodoxo e inflexível – chegou a proibir a entrada na igreja de quem houvesse recorrido às faculdades mediúnicas do "feiticeiro" para se curar de alguma enfermidade ou obter notícias de parentes mortos.

Ela não conviveu muito tempo com o avô, mas o que ouviu dele e o que testemunhou foi o suficiente para se convencer de que a vida possui desdobramentos inevitáveis depois da morte física e que a comunicação entre mortos e vivos é muito mais frequente e natural do que supõe a vã filosofia da maioria dos homens.

Embora acreditasse em tudo o que o avô lhe ensinara, minha mãe evitava expor abertamente as suas convicções. Vivera em ambientes conservadores e refratários a novas metodologias, tanto no âmbito profissional quanto no familiar.

Lia discretamente os seus livros, aprendia cada vez mais sobre a doutrina codificada pelo francês Allan Kardec e procurava pôr em prática o aprendizado, principalmente no quesito: "fora da caridade não há salvação", mas não impunha a ninguém o seu ponto de vista.

Se alguém, por algum motivo, a procurasse em busca de conselhos ou esclarecimentos, ela expunha os pensamentos claros e convictos que possuía, principalmente com o objetivo de consolar um sofredor ou indicar o caminho mais sensato a alguém que se encontrasse em conflito existencial. Mas o fazia sempre com a peculiar serenidade que demarcara a sua conduta, e nunca com a imposição irritante dos que se julgam donos das verdades espirituais.

Uma vez, quando era ainda menino, eu a ouvi sendo questionada sobre as divergências doutrinárias entre as religiões ortodoxas e o espiritismo.

– Eu penso que nenhuma religião criada pelo homem, com suas limitações morais e intelectuais, possui a característica da verdade absoluta – disse ela. – Nas divergências doutrinárias, opto pelo ponto de vista que me soa com mais sensatez e coerência. Por isso, não consigo refutar a afirmativa de que há vida e evolução no plano espiritual, em vez do sono inútil e improdutivo que certas religiões apregoam. E, se há vida, é natural que haja a comunicação entre os dois planos.

Nunca me esqueci daquela resposta, e agora, contando a ela sobre o sonho tão marcante que tivera naquela noite, minha mãe disse:

– Seu pai deve estar sofrendo por ter repassado tantos equívocos a você, meu filho; por tê-lo ensinado a

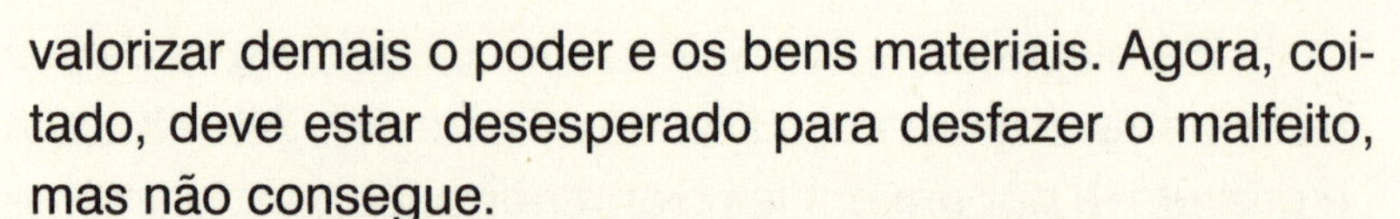

valorizar demais o poder e os bens materiais. Agora, coitado, deve estar desesperado para desfazer o malfeito, mas não consegue.

A resposta dela deveria ter me deixado angustiado, mas eu não permiti que aquilo me afetasse. Preferi não me contagiar com aquelas palavras. Havia herdado do meu pai, entre outras coisas, o hábito de não ligar muito para o que dona Generosa dizia, principalmente quando suas ideias contrariavam os meus interesses.

– Esquisitices de gente tola – dizia meu pai, girando o dedo indicador no alto da cabeça, insinuando que mamãe não regulava muito bem. – Herdou a doença mental do avô; homem abilolado que foi excomungado pela igreja – ele completava, convicto de estar correto em seu julgamento.

Eu não tinha uma ideia formada a respeito do que a morte representava. Às vezes, parecia-me arrazoada a concepção de minha mãe, ao dizer que a morte do corpo não representa a destruição da alma. Ela dizia que os seres humanos são imortais e que alternam períodos no plano da matéria com outros no plano do Espírito. Mas eu não tinha convicção alguma e preferia não me ocupar com aquilo. A meu ver, havia coisas mais importantes pedindo urgência no plano da materialidade.

Quando falei com o pessoal do partido sobre o sonho que tivera com o Conselheiro Borges, a interpretação foi bem outra, e esta, sim, convenceu-me inteiramente:

– O que você viu em sonho foi a projeção do que aconteceria se o seu pai estivesse vivo. É claro que ele estaria furioso por termos perdido as eleições. Com certeza está querendo aconselhá-lo a se tornar um candidato mais forte, a se preparar melhor para a próxima campanha.

Tais sugestões se encaixaram perfeitamente no que eu esperava ouvir. A opinião dos meus correligionários era muito melhor do que o sombrio e pessimista palpite de minha mãe. E era por aquele caminho que eu estava decidido a seguir.

Capítulo 5

SUZANA

Se o homem não fosse excitado ao uso dos bens da terra, senão pela sua utilidade, sua indiferença poderia comprometer a harmonia do Universo: Deus lhe deu o atrativo do prazer que o solicita ao cumprimento dos objetivos da Providência. Mas por esse mesmo atrativo Deus quis, por outro lado, experimentá-lo pela tentação que o arrasta para o abuso, do qual sua razão o deve defender.

O Livro dos Espíritos – Questão 712 – Boa Nova Editora

Alguns meses depois, tendo uma vida que se dividia entre a administração dos negócios e as diversões próprias da juventude, deparei-me com uma situação inusitada. Meu coração andou batendo num ritmo mais acelerado que o normal, e uma persistente insônia se instalou em meu leito, desassossegando-me o sono das madrugadas. A razão de tudo isso se chamava Suzana. Conheci-a num baile de Carnaval, numa cidade vizinha, já que, para preservar a condição de homem sério, eu costumava viajar sempre que pretendia me divertir.

Eu já não era um sujeito ingênuo; havia me relacionado

com algumas mulheres, principalmente no período dos estudos superiores, mas sempre tomara o cuidado de não me algemar àquelas aventuras.

Naturalmente pensava em casamento, e os meus amigos diziam que, se tivesse pretensões de me infiltrar no mundo da política, deveria mesmo constituir família. Eu havia acabado de ser derrotado na primeira tentativa de me eleger prefeito do município. A diferença de votos entre mim e o candidato da oposição fora um despropósito. E o Olegário – que vencera as eleições – era casado e tinha filhos.

Houve quem dissesse que o que pesou na decisão dos eleitores fora a minha pouca idade, o meu despreparo. Mas outros juravam de pés juntos que, se eu fosse casado, a eleição estaria no papo.

– Candidato solteiro não passa confiança para o eleitor – ensinavam-me os experimentados mandachuvas do partido.

Suzana estava acompanhada de umas amigas, mas deixou-as de lado, e nós dois passamos a noite toda juntos. Um sentimento que me surpreendeu pelo ineditismo, manteve-me acorrentado a ela. Dançamos, conversamos e nos entendemos muito bem. Pelo menos até o momento em que, achando ter fisgado a presa, numa atitude machista e precipitada, tentei beijá-la.

A moça teve uma reação brusca. Virou o rosto para o lado e me empurrou com tanta força, que eu me desequilibrei e quase caí no meio do salão. Felizmente, por conta da grande quantidade de foliões, a cena passou despercebida. A reação dela me deixou irritado, mas fez com que eu experimentasse também um sentimento de desafio. Naquele momento, decidi que não abriria mão de conquistá-la. Na verdade, eu é que havia sido fisgado.

Apesar do incidente, combinamos de nos encontrar no outro dia. Eu estava hospedado em um hotel e, embora tencionasse voltar para casa na manhã seguinte, decidi permanecer na cidade para o encontro.

Enfrentei horas de ansiedade e desconforto. A impressão que eu tinha era a de que algo muito importante estava por acontecer em minha vida, e eu não conseguia entender por que um evento simples como aquele me deixava tão destemperado. O ponteiro do relógio se tornou preguiçoso, e o tempo se estendeu infinitamente até atingir a hora marcada para o encontro, que ocorreu numa praça, logo após o almoço.

Agora, à luz do sol, a beleza de Suzana me deixou estonteado. Ela usava um vestido branco, com umas rendinhas discretas nas mangas e na barra, deixando à mostra discreta parte do busto e das pernas muito bem torneadas. Seus cabelos negros, ondulados, contrastavam com os olhos amendoados e com a pele morena clara do rosto delicado.

Suzana possuía um sorriso lindo, expondo os dentinhos miúdos e muito brancos. Seus lábios, de um vermelho natural, pareciam desenhados por criterioso artista plástico. Chegou de mansinho, aproximou-se do banco de pedra onde eu estava sentado e me cumprimentou sorrindo. A partir daquele momento, meu coração nunca mais bateu no mesmo ritmo.

Ainda naquele dia, iniciamos um tímido namoro. Tímido, porque Suzana, que havia acabado de completar dezoito anos, mostrou-se cautelosa ao extremo. Garantiu que nunca havia namorado seriamente, mas não se esforçou para me convencer quando eu duvidei de sua palavra.

– Não há razão para mentir a um desconhecido – disse ela dando de ombros, deixando claro que não estava preocupada com a minha opinião.

E talvez tenha sido justamente esse jeito desinteressado que tanto me cativou. E esse cativeiro invisível que se desenvolveu em minha alma fez de mim, por um tempo, o homem mais feliz e mais pesaroso do mundo. Eu, que me sentia tão soberano, tão dono das próprias vontades, deparava-me agora com algo que me tirava o sossego sem que pudesse me libertar daquela sensação de dependência.

De repente, já não havia pressa em retornar à minha cidade. Passei uma semana ao lado de Suzana, encontrando-me com ela todos os dias. O primeiro beijo me deixou trêmulo, abobalhado, feito um adolescente. O hálito suave dela me envolveu de tal modo, que se alojou em um recanto qualquer de meu olfato e nunca mais me abandonou.

Quando precisei retomar os afazeres, viajei prometendo voltar o mais rápido possível aos braços dela. E os dias que passei sem vê-la foram para mim um verdadeiro martírio.

– Paixão, primo! Paixão da braba! – zombou Fabiano, a única pessoa a quem eu ousava confidenciar um segredo tão importante.

Diante daquelas zombarias a respeito de meu sentimento por Suzana, eu meneava a cabeça negativamente. Tentava ser convincente, mas não conseguia enganar nem a mim mesmo. Estava irremediavelmente apaixonado.

Só muito mais tarde fui perceber que aquele namoro foi o acontecimento mais importante que ocorreu em minha vida, em termos afetivos. Suzana poderia ter mudado a minha forma de encarar o mundo; tornar-me mais flexível, mais humano; inserir em minha rotina valores bem diferentes daqueles que eu priorizava. E foi possivelmente por causa desse bem-estar que comecei a pensar seriamente em casamento.

Andei viajando com frequência para me encontrar com ela, até que, num início de tarde, Suzana me levou à casa modesta e bem cuidada onde morava e me apresentou a uma senhora idosa, com quem vivia.

– Essa mulher é o meu anjo da guarda – disse-me ao apresentá-la.

– É um grande prazer conhecer a sua mãe – comentei sorridente, estendendo a mão à mulher, que retribuiu sem nada responder e sem sorrir, dando a entender que não havia simpatizado muito comigo.

Suzana riu.

– Ela não é minha mãe, Valentim. Na verdade, é minha madrinha.

Fiquei surpreso e curioso. Saímos para a varanda da casinha e nos sentamos numa mureta que ficava sob uns caramanchões, onde um bando de periquitos fazia uma tremenda algazarra.

– E onde estão os seus pais? – perguntei. – Não vai dizer que estão...

Ela me interrompeu antes que eu completasse a pergunta:

– Não, Valentim! Meus pais não estão mortos. Aliás, minha família é enorme, mas não vive neste município. Na verdade, são da mesma cidade onde você vive. Eu também nasci lá.

Minha curiosidade aumentou.

– Minha nossa! Você é minha conterrânea?

Ela ficou séria, parecendo ativar lembranças desagradáveis.

– Sim. Mas minha vida nunca foi muito fácil. Fui adotada pelos meus padrinhos quando tinha onze anos. Eles se mudaram para cá, e eu os acompanhei. Alguns anos depois, meu padrinho morreu, e agora vivemos aqui somente eu e a madrinha. Quase não visito os meus familiares.

Suzana baixou a cabeça e impôs um tom de tristeza à voz ao continuar:

– Agora, minha madrinha quer ir embora para junto dos irmãos dela, que vivem em outra cidade bem distante daqui. Ela diz que não quer morrer longe deles.

Preocupei-me com aquela revelação.

– Quer dizer que você vai embora? – perguntei, sem conseguir disfarçar a contrariedade.

Ela voltou a sorrir e olhou nos meus olhos.

– Não se preocupe... Não será tão rápido.

De qualquer modo, aquela informação me desassossegou. É claro que eu não a deixaria partir.

– Mas, Suzana, você disse que sua família é da minha cidade. Eu conheço praticamente todos os moradores de lá.

Ela me desafiou:

– Ah, é? Conhece mesmo? Então vamos ver. Você sabe quem é o Tião do Brejo?

Entendi como uma brincadeira. Achei que Suzana estivesse querendo saber se eu conhecia também as pessoas pobres da cidade. Por isso, respondi com sarcasmo:

– O marido da Maria Tonta? O comedor de sapos?

Ela deixou de sorrir e me olhou com gravidade.

– Ela não é tonta e ele não come sapos. Isso é maldade das pessoas...

– Claro! Claro! Eu só estou brincando – respondi, um pouco confuso. – Mas o que é que tem esse Tião do Brejo a ver com a nossa conversa? Por que você está perguntando justamente sobre ele?

– Acontece que ele é meu pai, Valentim – ela respondeu e ficou olhando nos meus olhos. Queria ver como eu reagiria à abrupta revelação. Se não ficou decepcionada, foi porque eu consegui disfarçar muito bem.

De repente olhei para a Suzana e, por um átimo de tempo, não a vi com a beleza e a candura que me cativaram no início do nosso relacionamento. Lembrei-me da menina esquelética que andava pelas ruas com as roupas sujas e esfarrapadas. À época eu não sabia o nome dela. Não me interessava saber. Mas algumas vezes eu a vira passar pela minha casa. A menina batia palmas ao portão

e mamãe ia atendê-la, levando gêneros alimentícios. Meu pai ficava irritado com aquilo.

– Até quando você vai ficar alimentando os filhos do Tião do Brejo, mulher? – indagava ele. Dona Generosa fingia não ouvir. Apenas sorria. O Conselheiro ficava ainda mais irritado. – Enquanto houver gente boba no mundo, o Tião do Brejo vai continuar fazendo filhos para os outros alimentarem.

Eu ficava na janela do sobrado, olhando a menina se afastar enquanto dava saltinhos com seus pés descalços e sujos; os alimentos ofertados por minha mãe enrolados no vestido roto que, ao ser enrugado para embrulhá-los, subia até a altura dos joelhos, expondo um parzinho de pernas finas e encardidas. Aquilo me deixava com raiva porque havia provocado a ira de meu pai. Tudo o que contrariava o Conselheiro, de certo modo, também me incomodava.

Essas imagens ainda estavam muito vivas em minha mente quando Suzana se aproximou, carinhosa, e tentou acariciar o meu rosto. Num gesto automático, segurei sua mão e a afastei. Ela se surpreendeu com a minha reação.

– O que houve, meu amor? Algum problema?

Tive vontade de gritar que sim. De acusá-la de traição por não ter falado nada sobre a sua origem miserável na noite em que nos conhecemos. Com dificuldade, consegui conter minha cólera. Disse que não estava passando bem e pedi para usar o banheiro.

Ela me acompanhou, preocupada. Tranquei-me. A lembrança da garotinha molambenta desfilava ainda em minha mente, mas o fazia agora numa atitude provocativa, como se negasse a condição submissa e inofensiva da menina pedinte do passado. Era como se ela risse da minha cara, desafiando-me a tomar uma atitude nobre. Pensei em sapos e senti nojo. Meu estômago se revirou em engulhos e acabei vomitando.

Capítulo 6

IMPASSE

O túmulo é o local de encontro de todos os homens. Ali terminam implacavelmente todas as distinções humanas. É em vão que o rico quer perpetuar sua memória por monumentos faustosos. O tempo os destruirá, como ao corpo; assim quer a Natureza. A lembrança de suas boas e de suas más ações será menos perecível que seu túmulo. A pompa dos funerais não o lavará de suas torpezas e nem o fará subir um degrau na hierarquia espiritual.

O Livro dos Espíritos – Questão 824 – Boa Nova Editora

Alegando incômodo físico, eu disse à Suzana que iria para o hotel, mas voltei naquela mesma noite para casa sem ao menos me despedir dela. Fiquei quinze dias sem procurá-la, disposto a tirá-la de uma vez por todas do meu pensamento.

Mais uma vez, desabafei com o Fabiano numa conversa reservada, no escritório. Meu primo, como sempre, expôs o seu ponto de vista de maneira franca, sem rodeios:

– Em minha opinião, você está exagerando, Valentim! Que importa se a moça é de origem pobre? Se ela é tão importante para o seu coração, vá em frente. Case-se com ela.

– De origem pobre? – retruquei indignado. – Ela não é de origem pobre, Fabiano. É filha do Tião do Brejo! O homem que é para mim o maior símbolo de fracasso que conheço.

– E daí? Não é com ele que você vai se casar...

– Mas acontece que, se eu me casar com a Suzana, ela será a mãe dos meus filhos, não entende? Consequentemente, o Tião do Brejo e a Maria Tonta serão avós deles. Percebe o que isso significa?

Fabiano sacudiu a cabeça, dando a entender que não havia alcançado a gravidade do meu raciocínio.

– Significa que os meus filhos terão a herança genética dos avós! Ou seja, herdarão o seu DNA de fracassados, miseráveis, preguiçosos, comedores de sapos...

Fabiano tentou se manter sério, mas não conseguiu. Começou a rir, deixando-me encolerizado.

– Está rindo do quê, Fabiano? Por acaso tem algum palhaço aqui?

Ele segurou o riso com dificuldade.

– Desculpe, Valentim! Mas o modo como você fala é que é engraçado. Olha... Eu não acredito nessa história de DNA de gente fracassada e não acredito também que o Tião e sua família comam sapos. É claro que isso é apenas uma invenção do povo, para humilhá-los.

– E a minha carreira política, Fabiano? Está na cara que eu só vou conseguir me eleger prefeito desta cidade depois que me casar.

– Então se case, ora bolas...

– Com a filha do Tião do Brejo? Fazer isto é o mesmo

que dar um tiro no próprio pé! É como entregar a prefeitura numa bandeja, para o Olegário e seu bando se perpetuarem no poder.

Fabiano fez um muxoxo.

– Bom... Aí é uma questão de prioridade, meu primo. Não se pode ter tudo na vida. Ou você se casa por amor e tenta reverter essa dificuldade, ou se casa por conveniência e renuncia ao amor de Suzana.

Essas palavras ficaram martelando em minha mente por vários dias. Por mais que eu me esforçasse para esquecer Suzana, a saudade não me deixava em paz um só minuto, mas vinha sempre acompanhada da incômoda lembrança da menininha molambenta que pedia esmolas à dona Generosa, provocando-me asco e irritação.

À medida que o tempo foi passando, o desejo de voltar a ver Suzana falou mais alto. Senti uma necessidade imensa de estar com ela, de sentir o calor dos seus braços, a suavidade morna dos seus lábios... Acabei cedendo e voltei a procurá-la.

Quando voltamos a nos encontrar, Suzana estava mudada, demonstrando uma carência que me surpreendeu. Disse que quase havia morrido de saudade e se queixou muito do meu sumiço.

– Poxa, Valentim! Achei que nunca mais iria vê-lo – reclamou, fazendo manha, numa graciosa atitude infantil.

Aquele período de ausência serviu para deixá-la mais flexível. Suzana se mostrou decidida a ficar comigo e, pela primeira vez, propôs-se a passar a noite no quarto do hotel.

Fiquei animado com a decisão dela, mas não tinha mais certeza de que queria realmente aquilo. Antes de saber de sua origem, eu havia tentado diversas vezes convencê-la a dormir comigo, mas Suzana sempre se esquivava. Agora que eu enfrentava aquela luta interior entre aceitá-la ou não, sua atitude de entrega parecia até uma afronta.

– Vou contrariar minha madrinha – disse ela, enlaçando-me pelo pescoço. – Vou dar a prova de amor que você sempre me pediu.

Afastei-a um pouco, afrouxando-lhe o abraço, e perguntei:

– Contrariar a sua madrinha? Por quê? O que foi que ela disse?

– Disse que eu não devo me entregar a você. Que se eu fizer isso um sofrimento muito grande vai bater à minha porta.

Irritei-me com aquele comentário.

– Como ela pode dizer uma coisa dessas, se nem me conhece?

– Sei lá. Minha madrinha é muito intuitiva e não costuma se enganar.

Afastei-a um pouco mais e a encarei.

– E por que você não ouve o conselho dela? Talvez ela esteja certa...

Suzana colocou o dedo indicador verticalmente sobre os meus lábios, sugerindo que eu me calasse.

– Não ouço o conselho da minha madrinha porque o meu coração não quer, entendeu? Ele está surdo, cego e mudo para o que as pessoas pensam sobre nós. – Ela voltou a me abraçar. – Meu coração quer pagar para ver, meu amor! Prefiro acreditar que, pelo menos desta vez, minha madrinha esteja enganada.

Uma luta titânica ocorria dentro de mim. Meu coração batia num ritmo frenético diante da sedutora presença de Suzana. Aqueles olhos melífluos, o hálito suave, a musicalidade sedutora de sua voz... Tudo aquilo me deixava extasiado e me fazia esquecer a distância social que nos separava.

Ali, naquele quarto de hotel, Suzana não era mais a filha molambenta do Tião do Brejo e da Maria Tonta. Era uma mulher linda que me amava e me oferecia um mundo fantástico de prazer. Foi uma noite inesquecível! Suzana se revelou uma amante carinhosa e me fez esquecer completamente a angústia que a constatação de sua origem havia proporcionado.

Enleado com ela nos cobertores macios, inebriado pelo perfume suave de seu corpo, tomei a decisão de me dar o direito de ser feliz. Aos diabos a política, a posição social e qualquer outro embargo que representasse impedimento à minha completude afetiva. Eu amava Suzana, não havia dúvidas. Ela me amava. Era o bastante para ficarmos juntos. De quebra, aproveitaria para calar a boca da madrinha fuxiqueira que me julgava tão mal.

A novidade foi tão espetacular que até dona Generosa, com toda a sua serenidade, inquietou-se. Não que se opusesse. Achou interessante a minha decisão, mas, conhecendo o meu orgulho desmedido e a minha natureza preconceituosa, teve medo de que alguém pudesse sair muito ferido daquele imbróglio.

Resistência mesmo eu encontrei com o pessoal do partido político. Meus correligionários foram taxativos:

– É o fim, rapaz! Vamos desistir de tudo! – exageraram.

Disseram-me que o herdeiro do Conselheiro Borges era a grande esperança a que se agarravam para retomar o poder, e que agora tudo estava perdido.

– Não há outra pessoa nesta cidade para tirar o Olegário e seus cupinchas do poder – garantiram-me. – Ou você assume a condição de candidato oficial à prefeitura, ou podemos fazer as trouxas e picar a mula para outro canto.

Argumentei que não estava desistindo da política nem de ser o candidato do partido nas próximas eleições. Estava apenas saindo da condição de solteiro para a de casado, do modo como eles próprios haviam sugerido.

Mas a argumentação não os convenceu nem um pouco. Casar-me eu deveria, sim, sem dúvida. Mas não com a filha do comedor de sapos.

– Valentim, você vai virar motivo de escárnio na cidade. Seus filhos serão chamados de "comedorezinhos de sapo". Pense nisso! O povo, mesmo a gentinha miúda e mesquinha, que vive de migalhas, não admite ser governado por alguém que esteja tão próximo de um fracassado como o Tião do Brejo. Pense bem!

E eu pensava. Pensava tanto, que minha cabeça até doía. Às vezes, achava sensatos os conselhos de minha mãe e do Fabiano de que deveria abandonar a razão e seguir o comando do coração. Outras vezes, preponderava a ideia de que o pessoal do partido é que estava certo.

– É o que o Conselheiro Borges esperaria de você, Valentim. Tudo o que ele queria era que o seu filho único assumisse a condição de prefeito desta cidade. Imagine a alegria dele, se ainda estivesse entre nós, ao vê-lo tomando posse na Casa Executiva! E que tristeza saber que seu herdeiro abriu mão de tudo isso por causa de um rabo de saia que foi criado no charco do rio, à base de sapos e esmolas!

Essas cruéis argumentações, reforçadas pelas frases preconceituosas que tantas vezes eu ouvira do meu pai, ficavam ressoando em minha mente, tirando-me a tranquilidade e a segurança necessárias para decidir o que fazer.

Capítulo 7

DECISÃO

Estudai todos os vícios e vereis que no fundo de todos está o egoísmo; inutilmente os combatereis e não chegareis a extirpá-los enquanto não houverdes atacado o mal em sua raiz, enquanto não houverdes destruído a causa. Que todos os vossos esforços, portanto, tendam para esse objetivo, porque aí está a verdadeira chaga da sociedade. Todo aquele que quer se aproximar, desde esta vida, da perfeição moral deve extirpar de seu coração todo sentimento de egoísmo, porque o egoísmo é incompatível com a justiça, o amor e a caridade. Ele neutraliza todas as outras qualidades.

O Livro dos Espíritos – Questão 913 – Boa Nova Editora

Enquanto não decidia que rumo tomar, eu continuava me encontrando com Suzana e, sempre que possível, passava a noite com ela. Uma força irresistível me impulsionava em direção à moça, e eu acabava cedendo à minha egoística vontade, satisfazendo os meus desejos, mesmo sem ter certeza de como iria conduzir aquela história.

Para Suzana, a situação estava muito bem resolvida. Ela sabia que eu a amava e tinha certeza de que o nosso casamento era só uma questão de tempo. Não havia percebido a repulsa que eu demonstrava às suas origens e não via razão alguma para se precaver. Entregava-se a mim sem a menor preocupação com o futuro, sem limites, sem pudores... Estava feliz demais para acreditar nas más premonições da madrinha ou de quem quer que fosse.

Uma parte de mim também tinha essa convicção. Eu sabia que amava Suzana e tentava não me importar com a miserabilidade de sua família. Porém o lado materialista do mundo me acenava com uma bandeira vermelha, chamando-me à razão, mostrando as dificuldades que poderiam ser evitadas com um pouco mais de bom senso. Deveria haver um modo de unir o "agradável ao útil".

– Amor é agrado ilusório, Valentim. Poder é utilidade prática – garantiam-me os companheiros de partido.

O problema é que, à medida que o tempo foi passando, a pressão para que eu tomasse logo uma decisão foi aumentando. Um dia, encostaram-me à parede.

– Valentim, a questão é a seguinte: se até o fim do próximo ano você não estiver casado, nós vamos começar a pensar em outro nome para concorrer à prefeitura.

– E se eu estiver casado com a Suzana? – perguntei ressabiado.

– Nesse caso, considere-se fora das pretensões do partido para o resto da vida – disseram-me sem cerimônia.

Uma profusão de imagens se formava em minha mente e me deixava entontecido. Nelas desfilavam o rosto delicado da Suzana do presente a projetar amor; o vestido roto e as canelas encardidas da Suzana do passado a pedir esmolas; o semblante miserável do Tião do Brejo a empurrar a vida com a barriga; o desespero do

Conselheiro Borges por me ver derrotado; e o riso sarcástico do Olegário, agradecendo-me por ter lhe facilitado os caminhos do poder.

Sim! O desprezível Olegário, que me humilhara na campanha passada, ridicularizando-me diante dos eleitores, chamando-me bebê de fraldas sujas.

E foi assim que uma ideia, que me pareceu boa naquele momento, começou a ganhar forma. O agradável e o útil... O amor e o poder? Uma junção possível? Por que não?

Eu e Suzana estávamos no quarto do hotel onde eu sempre me hospedava. Há dois meses já nos relacionávamos intimamente, o que só serviu para ampliar ainda mais a minha certeza de que ela me amava. Suzana me olhou com espanto diante da proposta que ouviu. Parecia não ter entendido direito o que eu havia dito, pois me fez repetir:

– Por favor, Valentim, fale de novo. Acho que estou meio surda.

Eu sabia que não se tratava de surdez, mas de indignação. Ainda assim, fiz o que ela pediu. Limpei a garganta e impus à voz o tom mais convincente que consegui:

– Estou propondo, meu amor, que você permaneça aqui, nesta cidade. Eu lhe compro uma casa bacana; pode ser até mesmo a casa da sua madrinha. Você coloca nela os móveis que quiser e prometo que não lhe deixo faltar nada...

– Você enlouqueceu? – ela me interrompeu, parecendo ter sido atingida por um raio. – Está me propondo ser uma espécie de amásia sua, sendo que você nem é casado?

Cocei a cabeça, constrangido. O assunto era muito delicado, para não dizer extremamente egoístico de minha parte.

– Não sou casado, ainda. Mas vou ser em breve.

Ela arregalou os olhos.

– Ah, então você me enganou esse tempo todo? Quer dizer que tem outra mulher em sua vida? Uma noiva?

– Não tenho ninguém, Suzana. Quer dizer... Tenho você.

Ela abriu as mãos e estirou os lábios, num gesto típico de quem não está entendendo nada.

– Então por que não se casa comigo?

Permaneci mudo. Não sabia exatamente o que responder.

Ela insistiu:

– Você não me ama? É isso?

– Não. Não é isso... É claro que eu amo você...

Suzana começou a rir – um riso nervoso que logo se transformou em choro. Sentou-se na cama esfregando os olhos.

– Pelo amor de Deus, Valentim! Explique isso direito, senão eu vou enlouquecer. Se você não tem outra namorada e se me ama de verdade, por que está propondo que eu seja sua amásia em vez de esposa?

Meu coração também estava oprimido. Não era uma conversa fácil para ninguém.

– Bom... O pessoal do partido acha que eu devo me casar com outra moça. Alguém cuja família tenha influência na região...

Ela se aproximou e me encarou com repulsa.

– Então é isso que você quer, Valentim? Você vai deixar que outras pessoas decidam o que é melhor para a sua vida?

– Não é o que eu quero, mas o que a carreira política exige. Faz parte da vida...

Suzana perdeu a estribeira de vez. Agora já não chorava; sentia raiva de tudo aquilo.

– Faz parte da sua falta de vergonha na cara, seu maldito! Você veio aqui, ficou me cercando, iludindo o meu coração. Fez com que eu me apaixonasse. Deixou que eu me entregasse a você, e agora me diz que não sou boa o suficiente para ser sua esposa? Que vai procurar uma noiva mais conveniente a um homem público? Que, se eu quiser ficar com você, terei de me contentar em ser sua amásia e dividi-lo com outra família?

Havia uma mágoa imensa nas palavras dela. E essas palavras foram penetrando em minha alma como dardos flamejantes que incendiavam alguma coisa em minhas entranhas – um inferno causticante difícil de ser suportado.

Suzana voltou a chorar, e seu pranto agora estava carregado de desgosto. Suas mãos se fecharam como se fossem socar alguém. Tentei me aproximar. Quis acariciar os cabelos dela, mas fui impedido com firmeza:

– Não toque em mim! – ela gritou. – Minha madrinha estava certa, Valentim. Você não presta. É um maldito egoísta, ambicioso, e eu nunca deveria ter me entregado a você. – Levantou-se, correu para a porta do quarto, abriu-a e saiu em disparada.

Fiquei sem ação. Pensei em ir atrás dela... Para quê? Para dizer-lhe que havia mudado de ideia? Não. Apesar do mal-estar que me dilacerava o peito, eu não havia mudado de ideia.

Sentei-me na cama, prendi o rosto entre as mãos e fiquei paralisado. Impossível descrever o que estava sentindo naquele momento. Era um misto de vergonha de mim mesmo, de autorrepreensão e incerteza... Mas, sem dúvida, o sentimento que mais me incomodava era de tristeza.

Em minha mente formaram-se imagens distorcidas que se alternavam numa velocidade estonteante: os correligionários me aplaudiam; minha mãe e Fabiano condenavam a minha atitude; o Conselheiro Borges me felicitava; e o Olegário se preocupava, vendo que a permanência de seu grupo no poder começava a ser seriamente ameaçada.

Capítulo 8

CASAMENTO

O homem carnal, mais ligado à vida corporal do que à vida espiritual, tem, sobre a Terra, penas e gozos materiais; sua felicidade está na satisfação fugidia de todos os seus desejos. Sua alma, constantemente preocupada e afetada pelas vicissitudes da vida, está numa ansiedade e numa tortura perpétuas. A morte o assusta, porque ele duvida do seu futuro, e deixa sobre a Terra todas as suas afeições e todas as suas esperanças.

O Livro dos Espíritos – Questão 941 – Boa Nova Editora

Aurélio, fazendeiro bem-sucedido, era amigo de meu pai e, embora não fosse envolvido diretamente com questões políticas, possuía prestígio e consideração no município, principalmente em função da riqueza que adquirira como criador de gado para o abate. Ele possuía ainda um abatedouro e um frigorífico imensos.

Aurélio tinha três filhas solteiras e demonstrou boa vontade ao saber que eu estava pensando em desposar uma delas.

– Desde que você conquiste uma de minhas filhas e seja um bom marido, não há oposição de minha parte.

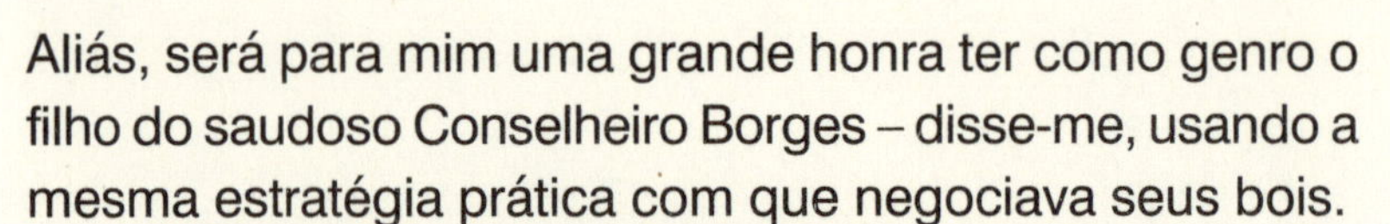

Aliás, será para mim uma grande honra ter como genro o filho do saudoso Conselheiro Borges – disse-me, usando a mesma estratégia prática com que negociava seus bois.

Com a anuência dele, andei frequentando a fazenda, ciscando por lá, cevando as moças, com o intuito de conhecê-las melhor. Ao final da história, optei por Elma, a mais velha. Embora não fosse a mais bonita, pareceu-me a mais ajuizada e inteligente.

Dentre os conselhos que eu recebera dos meus orientadores estava o de não me casar com mulher de juízo e inteligência limitados. Disseram-me que esposas assim não estão à altura de um homem público e podem acabar desestabilizando as necessárias relações sociais, por muitas vezes não se submeterem aos mecanismos em meio aos quais tais conexões se operam.

Eu ia digerindo todas aquelas informações, mesmo sem saber o que de fato representavam. Naturalmente não iria admitir a minha própria limitação intelectual na área política, que não me permitia alcançar a complexidade daquele palavreado abstrato. Só bem mais tarde iria enxergar o quanto de hipocrisia, machismo, desonestidade e egoísmo havia por trás de tudo aquilo.

Elma demonstrava forte personalidade. Tinha 22 anos, era loura, de pele muito clara e olhos exageradamente verdes. Era alta e magra, e possuía o semblante altivo de quem parece estar sempre em alerta, feito a sentinela de uma estalagem militar.

Quando eu a pedi em casamento, ainda sem ter certeza de que a resposta seria positiva, fui surpreendido pela espontaneidade de sua reação.

– É claro que eu aceito – disse ela, arregalando

aqueles olhos ariscos e translúcidos. Depois riu feito uma criança e completou jocosa: – Se você se atrevesse a escolher uma das minhas irmãs, eu mandava matá-lo!

É claro que ela disse aquilo em tom de brincadeira. Mas a ameaça, mesmo não sendo séria, provocou-me um arrepio gelado na espinha e me deixou meio pesaroso. Talvez Elma tenha percebido o mal-estar provocado e recompensou-me com um abraço caloroso e um demorado beijo. Configurava-se assim o nosso compromisso matrimonial.

Dona Generosa ficou feliz com a novidade, pois já andava preocupada com a minha aventureira e descompromissada vida de solteiro. Para tranquilizá-la, já que ela queria saber o desfecho da minha história com Suzana, inventei que a filha do Tião do Brejo não era ajuizada como eu pensara e que, além disso, dizia-se muito nova para assumir um compromisso tão sério, dando a entender que o rompimento partira dela e não de mim.

É possível que minha mãe não tenha acreditado muito naquilo, mas preferiu não interferir. Ela me conhecia o suficiente para saber que seus conselhos não surtiam efeito em minhas decisões.

O noivado foi curto, e o casamento ocorreu sem delongas. Naturalmente, houve uma grande agitação na cidade para a festa. Era necessário que todos soubessem que o herdeiro do poderoso Conselheiro estava se casando com a filha do bem-sucedido criador de gados. E os correligionários do partido trataram de fazer da cerimônia um grande acontecimento. Até gente graúda do governo estadual e do Congresso deu as caras na festa.

Elma parecia feliz. Seus pais e dona Generosa pareciam felizes. O pessoal do partido estava radiante, mas eu não. Durante todo o tempo, não conseguia tirar Suzana do pensamento. Era como se a nuvem escura de uma tempestade pairasse o tempo todo sobre a minha cabeça. Eu me perguntava onde ela estaria naquele momento. O que estaria fazendo? Saberia do meu casamento?

Depois daquela discussão com Suzana, quando tentei convencê-la a aceitar a condição de minha amásia, eu havia decidido me afastar e deixar que ela absorvesse a proposta. Tinha esperança de que, com o passar do tempo, ferida pelos aguilhões da saudade, ela acabasse aceitando a minha sugestão. Eu sabia que ela me amava, e amor, muitas vezes, exige renúncias, eu pensava. Mas desprezava o fato de que eu também poderia ter renunciado aos meus interesses.

Quinze dias haviam se passado quando voltei a procurá-la, cheio de saudade e, de certo modo, até disposto a repensar o assunto. Mas encontrei fechada a casa onde Suzana e a madrinha viviam.

Inicialmente, não me preocupei. Julguei que elas tivessem ido dar uma volta, fazer compras ou algo assim. Fui me hospedar, tencionando retornar mais tarde. Mas na portaria do hotel entregaram-me uma carta. Suzana a havia escrito e a deixara para ser entregue a mim.

A novidade me deixou tenso. Subi correndo para o quarto, rasguei o envelope e tive de ler três vezes para compreender o conteúdo, tamanha era a minha ansiedade:

Valentim

Quando você ler esta carta (se ler), com certeza eu já estarei longe daqui. Portanto, não perca tempo em me procurar. Ninguém sabe para onde eu estou indo e posso lhe garantir que é para um lugar muito distante dos seus olhos.

Minha madrinha já deveria ter se mudado de cidade e só não o fez antes, porque estava esperando a definição do nosso relacionamento. Quando falei sobre a proposta indecorosa que você me fez e disse que não haveria mais casamento, ela decidiu colocar em prática o plano de se mudar, e eu, sinceramente, achei que foi melhor assim.

Não foi uma decisão fácil. No entanto, mesmo com o coração sangrando, decidi acompanhá-la. Não quero ser um estorvo na vida de ninguém. Não confio nos sentimentos de uma pessoa que coloca obstáculos no caminho da felicidade e não acredito, também, no amor unilateral. Portanto, Valentim, se você não me ama o suficiente para me desposar, não é digno do amor que eu ingenuamente pensei sentir por você.

Se você não me ama, eu também não o amo, porque vejo o amor como uma via de mão dupla. Um jardim que somente floresce se estiver provido de terra e água; uma ave que somente voa quando impulsionada pelas duas asas; uma embarcação que só chega à praia quando movida por dois remos... Como você pode ver, a concepção que tenho sobre o amor é romântica e patética demais para os seus padrões, para o entendimento pragmático da sua mentalidade e do pensamento desses homens poderosos – e certamente infelizes – que se arvoram a opinar sobre o seu destino.

Fique com eles, Valentim. Fique com a sua carreira. Case-se com uma mulher que o ajudará a galgar todos os degraus da sua ambiciosa carreira, mas esqueça-me, pois eu só não o esqueci ainda porque há muita mágoa em meu coração. Mas, à medida que for me livrando da mágoa, você irá desaparecendo junto com ela. Tenha certeza disso. Adeus! Seja feliz!

Suzana

A mensagem pesarosa e decisiva de Suzana impôs àquela história a direção que eu andara hesitando em definir. Agora, sentimentos de tristeza, saudade e frustração misturavam-se a uma tênue sensação de alívio.

– O que não tem remédio, remediado está – era a frase que eu sempre ouvia de meu pai, quando ele se referia aos poucos assuntos que fugiam do seu controle.

Suzana tratara de remediar a situação, embora aquele remédio tivesse um sabor demasiadamente amargo. Mas a filosofia do Conselheiro, embora não servisse para aplacar os sentimentos negativos resultantes daquele mau momento, parecia inserir em minha alma uma espécie de anestesia, entorpecendo de algum modo a minha consciência, inserindo nela a hipócrita negação da realidade.

A mensagem de despedida de Suzana era uma espécie de carta de alforria que deveria me libertar do compromisso moral assumido e abandonado a meu bel-prazer. Mas os sentimentos enraizados em meu coração ignoravam a face sombria dos interesses mesquinhos, e eram eles que não me deixavam desfrutar a paz que eu tanto almejava.

Em pé, no altar da igreja, vendo Elma se aproximar pelo longo corredor, enlaçada ao braço do pai, usando um belíssimo vestido branco, reluzente grinalda e um buquê de flores, eu não consegui deixar de imaginar que poderia ser Suzana e não ela a estar ali. Mas de repente ocorreu-me que ao lado de minha noiva, de braços dados com ela, em vez do respeitado criador de gados, estaria o desenxabido Tião do Brejo. Imaginei os convidados se acotovelando, rindo do andar desengonçado e da carantonha ridícula de meu sogro. Ouvir-se-iam gracejos pela igreja:

– Olha o comedor de sapos e sua filha!

– O filho do Conselheiro Borges deve ter enlouquecido!

Com tais pensamentos, eu tentava me convencer de que havia tomado a decisão apropriada. Elma seria mãe dos meus filhos. Aurélio seria o avô deles. E o respeito conquistado pelo Conselheiro Borges diante da sociedade dos homens que nasceram para mandar não seria maculado por uma atitude insensata, motivada pelos arroubos febris de uma paixão inconsequente. Será? Eu não tinha certeza de nada. Mas não media esforços para tentar me persuadir.

Mais tarde, durante os festejos, bebi mais uísque do que pretendia. Elma não foi muito condescendente e me disse, a certa altura da festa, vendo-me cambaleante, os olhos vidrados:

– Nem parece que você está feliz, Valentim.

Eu a olhei interrogativo.

– Por quê? O que estou fazendo de errado?

Elma forçou um sorriso.

– Um homem feliz não deveria beber tanto.

– E uma mulher feliz não deveria ser tão implicante – retruquei com a voz carregada de despeito.

– Belo início de vida conjugal! – ela disse. – Apenas duas horas de casados, você está bêbado e já começamos a nos desentender. Definitivamente, Valentim, a probabilidade de harmonia entre nós não é das melhores.

Deixei Elma falando sozinha e fui me juntar ao grupo do partido, que alinhavava planos numa mesa isolada, entre garrafas de vinho e uma espessa nuvem cinzenta criada pela fumaça dos charutos.

Falavam animadamente, quase aos gritos. Profetizavam a derrota do partido do Olegário e a minha vitória nas próximas eleições. Com a minha chegada, todos se voltaram para mim.

– Seja bem-vindo, Valentim! Sente-se aqui conosco!

Alguém me entregou uma taça transbordante de champanhe e propôs um brinde:

– Ao futuro prefeito!

Por mais de uma razão, eu começava a me sentir nas alturas, do mesmo modo como o poderoso Conselheiro Borges devia ter se sentido inúmeras vezes em sua vida.

Capítulo 9

VITÓRIAS

O progresso completo [dos homens] é o objetivo, mas os povos, como os indivíduos, não o alcançam senão passo a passo. Até que o senso moral se tenha neles desenvolvido, eles podem mesmo se servir de sua inteligência para fazer o mal. O moral e a inteligência são duas forças que não se equilibram senão com o tempo.

O Livro dos Espíritos – Questão 780 – Boa Nova Editora

No dia seguinte ao casamento, amanheci doente. Uma febre altíssima e dores que se espalhavam pelo corpo fizeram com que eu permanecesse acamado por uma semana. Houve quem dissesse que era consequência dos exageros cometidos durante os festejos, e não dava para duvidar. Eu havia consumido muitos alcoólicos naquela noite. Aliás, estava começando a criar uma relação muito íntima com a bebida, principalmente nos maus momentos.

Com o tempo, recuperei-me e a doença caiu no esquecimento. Os meses sequentes foram dedicados às estratégias partidárias para a campanha eleitoral que se avizinhava. Os anos entre uma eleição e outra passam rápido, quando se está no poder ou quando se tenta alcançá-lo.

Comecei a tomar gosto pelas reuniões do partido, pelas intermináveis discussões e artimanhas dos bastidores políticos. Tais ocupações tinham dois propósitos muito claros em minha vida: deixar minha mente ocupada o bastante para evitar recordações envolvendo Suzana e me manter o mais longe possível do ambiente familiar.

Depois do casamento, Elma fora morar em minha casa. A residência era grande o suficiente para acolher a todos e ainda sobrava muito espaço. Minha esposa se mostrou soberba e prepotente, mas isso não chegou a ser um problema, pois conviver com dona Generosa era a coisa mais fácil do mundo. Desapegada ao extremo, além de não reclamar de nada, ela fez questão de deixar a nora bem à vontade:

– Estou velha mesmo, minha filha. Daqui a pouco fecho os olhos e não vou levar nada disso comigo. Portanto, a casa é sua. Faça com ela o que achar melhor e nem precisa pedir a minha opinião. O meu quarto me basta.

Fazia parte da personalidade de minha mãe contentar-se com pequenos espaços, pouca alimentação, ausência de luxo... Ela era indiferente à abastança que nos cercava. Não tomava conhecimento dos investimentos, não sabia e não fazia a menor questão de saber onde começavam e onde terminavam as posses que legalmente eram também dela.

Riqueza para dona Generosa era sinônimo de consciência tranquila e não de abundâncias materiais. Aliás, se dependesse da vontade dela, as economias da família já teriam se dissolvido há muito tempo, distribuídas entre a gente pobre que se reproduzia em número vertiginoso na região.

Na relação entre Elma e minha mãe, não havia conflito algum. Ao contrário, era uma convivência harmônica, que fluía de modo natural e agradável. O problema foi que a incompatibilidade que nós demonstramos possuir já na noite do casamento mostrou-se muito mais grave e sólida à medida que nos conhecíamos mais intimamente. Não sei se isso ocorria por sermos diferentes ou parecidos demais um com o outro. A verdade é que praticamente todas as nossas conversas terminavam em discussão, cobrança, insulto, picardia, aborrecimento...

Ainda assim, Elma engravidou nos primeiros meses de vida conjugal. Com o intumescimento do ventre e a sensibilidade que lhe aflorou durante a gestação, minha paciência, que já era pouca, soçobrou de vez. Dei vazão à minha estupidez e ao despreparo para lidar com gentilezas. E o fiz de forma tão evidente, que minha mãe, pela primeira vez, interpelou-me com um pouco de severidade, chamando-me à razão.

Mas a intervenção dela, em vez de pacificar o ambiente, tumultuou-o ainda mais, porque eu passei a acusar Elma de ter promovido a única desavença entre mim e dona Generosa.

– Antes de você entrar na minha vida, minha mãe nunca havia ralhado comigo – queixei-me.

Elma não se intimidou. Aliás, nunca se intimidava com os estardalhaços que eu fazia.

– Certamente porque as suas grosserias não chegavam ao conhecimento dela, doutor Valentim!

Sua resposta me enervou, mas fui obrigado a admitir que ela estava coberta de razão. Minha mãe exercia sobre mim uma ascendência moral a toda prova. Quando estava próximo a ela, meus gestos eram estudados, minhas palavras eram analisadas antes de proferidas. Em sua presença, eu me policiava e me constrangia quando deixava escapar algo que denunciasse a minha natureza embrutecida.

Meu primeiro filho com Elma nasceu saudável e levou um pouco de alegria àquele lar. Minha mãe surpreendeu a todos, pois, alguns dias antes do nascimento do neto, ela, que nunca pedia nada, perguntou se poderia sugerir um nome para ele.

Eu andava muito tentado a batizá-lo de Valentim Borges Filho, mas isso também já fora motivo de briga entre mim e Elma. Por ela, o pequenino receberia o nome do avô materno. Eu discordei, naturalmente. Não que tivesse alguma coisa contra o meu sogro, mas disse que achava Aurélio um nome muito esquisito.

Talvez tenha sido justamente para evitar maiores transtornos que dona Generosa pedira para sugerir um nome para o neto. Arriscava o menino acabar sendo chamado por mim de um nome e de outro pela mãe.

– Augusto! – exclamou a avó, e com tanto entusiasmo, que eu e Elma custamos a entender que se tratava do nome sugerido para a criança. – Esse nome é muito especial, pois significa, entre outras coisas, sublimação

– ela explicou durante o café da manhã, que tomávamos sempre juntos.

Gostei do significado do nome, afinal, meu filho acabaria herdando o meu legado político, do mesmo modo como eu havia herdado o do Conselheiro. Alguém que tivesse a característica da sublimação estaria perfeitamente credenciado a fazer uma bela carreira num universo tão cheio de conflitos e armadilhas, pensei.

Elma ainda relutou um pouco. Disse que Aurélio significava "filho do ouro", ou seja, alguém que nasceu para brilhar como o ouro, mas eu não estava interessado em ouro naquele momento. Queria um sucessor bom de discurso e de votos. Estava muito claro para mim que com o poder nas mãos o ouro vinha no rasto.

Eu e Elma nos impacientamos por alguns dias. Andamos emburrados um com o outro, mas ao fim da história prevaleceu o desejo de minha mãe. Nem Valentim Filho, nem Aurélio Neto. O recém-nascido se tornou Augusto e ponto-final.

Naquele ano, minha vida recebeu muitos ventos favoráveis, e houve dois acontecimentos positivos. No primeiro semestre nasceu o meu filho Augusto, como já foi dito, e, no segundo, fui eleito prefeito. A campanha que me levou ao poder ocorreu num clima hostil e cheio de artimanhas. O Olegário, que pretendia se manter no poder elegendo um sobrinho insosso para substituí-lo, usou todos os recursos que possuía a seu favor, inclusive a máquina administrativa.

Eu e meus correligionários não medimos esforços para superá-lo. Colocamos militantes nas ruas e houve, inclusive, muitos entreveros entre eles. A interferência da polícia foi necessária em algumas ocasiões, principalmente durante os debates em praça pública, quando uma multidão se aglomerava para ouvir as propostas dos candidatos. Discussões acirradas e brigas eram comuns e algumas vezes terminavam em detenções provisórias na delegacia local.

Aos poucos, comecei a descobrir os segredos do discurso prático. Tornei-me um orador astucioso e eloquente. Percebi que, depois de vencida a timidez e ignorados certos escrúpulos, as palavras fluem naturalmente, como um rio seguindo para o mar. Começa-se a dizer exatamente o que o povo quer ouvir; a prometer o que o eleitor almeja. E, em qualquer lugar do mundo, salvo raríssimas exceções, os eleitores querem a mesma coisa: saúde, educação, segurança, conforto, dignidade... É só fingir que isso será oferecido a eles.

Descobri que eram essas as palavras mágicas para seduzir eleitores. Que quem consegue ser mais convincente em suas promessas leva vantagem. Percebi também que, se o partido do Olegário tinha a seu favor a máquina administrativa, possuía contra si as falhas que existem normalmente em qualquer administração. Foi fácil encontrar problemas pela cidade, elencá-los e esfregá-los no nariz do prefeito, jogando contra ele boa parte dos munícipes.

Compreendi ainda que era um bom trunfo cercar-me de pessoas bonitas e bem-sucedidas, induzindo-as a elogiar-me publicamente. Vi que era interessante levar minha elegante esposa e meu filho recém-nascido aos palanques, beijá-los e fazer declarações de amor em público. As pessoas iam ao delírio com todos aqueles gestos de afetividade, sem saber o quanto eu precisara insistir com Elma, tentando convencê-la a interpretar o papel de esposa feliz.

– Não vou ser hipócrita – ela protestava. – Fingir ser feliz ao lado de um marido ausente e frio como você? Um homem egoísta, que só pensa em si? Que vive orbitando o próprio umbigo?

Então, eu me desdobrava para persuadi-la. No final das contas, perdia a paciência e acabava recorrendo ao pessoal do partido para conversar com ela e fazê-la mudar de ideia. Elma cedia. Comparecia aos eventos. Cumpria seu papel... Depois me chantageava, exigindo que eu tivesse na intimidade do lar a mesma conduta afetiva demonstrada em público. Aí era a minha vez de sair pela tangente.

As eleições daquele ano ocorreram em ambiente tumultuado. Cabos eleitorais, fiscais dos partidos e seus coligados redobraram vigilância no dia da votação e, principalmente, no momento da apuração.

Mais uma vez houve desinteligências, brigas e prisões temporárias. Ao final, saí vitorioso, mas com uma margem tão apertada sobre o candidato derrotado, que se chegou a falar em recontagem de votos. Porém acabou ficando só na ameaça. Havia gente graúda interessada na minha vitória, e as coisas permaneceram como estavam.

Para aumentar a minha alegria, verificamos, ao final da contagem, que a maioria de vereadores eleitos era de candidatos do nosso partido ou a ele coligados, o que facilitaria em muito a minha administração devido à consonância entre os poderes Legislativo e Executivo do município.

– Valentim, você está com a faca e o queijo nas mãos – disseram-me os correligionários, comemorando a importante vitória.

Foi um mandato tranquilo e praticamente sem contratempos no início. Procurei me cercar de pessoas competentes, ouvi os funcionários concursados mais experientes da prefeitura, e promovi a cargos importantes, com salários dignos e liberdade de ação, aqueles que se mostraram comprometidos com os meus projetos.

Desse modo, andei realizando certas proezas que me fizeram subir no conceito dos moradores. As bajulações não demoraram a surgir. Apareceram também as primeiras propostas obscuras, oferecendo vantagens pessoais, mas eu simplesmente as ignorava. Não precisava daquilo.

No entanto, tempos depois, cedendo à obstinada pressão dos correligionários, concordei em promover algumas ações incorretas para engordar um pouco os cofres do partido.

– Todo mundo faz isso – garantiram-me os aliados. – Como é que você acha que um partido sobrevive? À custa de esmolas? Como acha que se patrocinam campanhas milionárias para eleger o maior número possível de candidatos num país de dimensão continental? Além disso, o político eleito deve um mínimo de gratidão ao partido que o elegeu e precisa recompensá-lo de alguma forma.

Vendo que eu me surpreendia com o que era exposto, meus correligionários gargalhavam e me chamavam de "menino ingênuo". Somente muito tempo depois eu iria saber que não havia sinceridade naquelas palavras; que não é todo mundo que faz isso; que nem todos os partidos políticos são mantidos à base de dinheiro desonesto; e que nem todos os administradores dos bens públicos se deixam subornar. Mas, quando essas verdades chegaram ao meu conhecimento, eu já estava corrompido o suficiente para não me importar.

Naturalmente, tomei o cuidado de fazer tudo com muito critério. Deixar o mínimo de rasto na poeira... Mas acabei descobrindo que, quando se trata de falcatruas, alguma coisa sempre escapa à percepção do executor. Uma ponta da cauda acaba ficando fora da moita.

O que eu não via com clareza ou me recusava a ver é que, uma vez desviado para interesses escusos, o dinheiro público começa a fazer falta onde deveria ser aplicado. É uma situação óbvia para quem espera pelas ações do governo, mas não para quem fica enfiado em um gabinete, tratando de assuntos burocráticos, ouvindo conselhos nem sempre arrazoados e maquinando novas maneiras de burlar o fisco.

Cheguei ao fim do mandato com algum desgaste político que, sem dúvida, o Olegário usou para denegrir minha imagem na próxima campanha.

Capítulo 10

NEGOCIATAS

Acreditais estar bem avançados porque tendes feito grandes descobertas e invenções maravilhosas, estais mais bem alojados e melhor vestidos que os selvagens; mas, não tereis, verdadeiramente, o direito de vos dizer civilizados senão quando houverdes banido de vossa sociedade os vícios que a desonram, e puderdes viver, entre vós, como irmãos, praticando a caridade cristã. Até lá, não sois senão povos esclarecidos, não tendo percorrido senão a primeira fase da civilização.

O Livro dos Espíritos – Questão 793 – Boa Nova Editora

As eleições municipais ocorreriam em dois meses, e as pesquisas de intenção de votos apontavam o Olegário alguns pontos à frente do candidato do nosso partido: um homenzinho pouco entusiasmado, dono de uma farmácia. Apesar de já ter exercido o cargo de vereador por dois mandatos, ele vivia num ostracismo incompatível com a vida de político.

À época, as leis brasileiras não permitiam a reeleição para cargos do poder Executivo. A ideia de colocar o comerciante na condição de prefeito era justamente por causa da sua indiferença, da sua passividade. Desse modo, eu assumiria a chefia de gabinete, e a prefeitura continuaria sob o meu controle até as próximas eleições, quando eu estaria apto a concorrer novamente.

O fato de o Olegário aparecer na dianteira nas pesquisas estava tirando o meu sono, pois eu não podia me dar ao luxo de deixar o poder. Além da humilhação que a derrota representava, as contas da prefeitura andavam desarranjadas por causa de minha sujeição à vontade dos correligionários, e, se caíssem nas mãos do meu adversário, as coisas poderiam se complicar para o meu lado.

Ampliamos as ações. Abandonei o conforto do gabinete e arrastei meu candidato para as ruas. Em comitiva, comecei a percorrer a cidade visitando bairros da periferia, entrando nos casebres parcos, sujeitando-me a tomar, com nojo, o café oferecido em canecas amassadas e encardidas; pegando no colo crianças molambentas; beijando rostinhos encatarrados... Fabiano, que continuava sendo o meu fiel companheiro, demonstrava solidariedade e, mesmo não sendo candidato a nada, copiava as minhas atitudes a fim de me encorajar.

Nessas andanças, vi muita miséria na cidade: postos de saúde fechados, ruas esburacadas, sem iluminação, esgotos correndo a céu aberto, servindo de cevadouro a ratos, o mato vicejando entre os paralelepípedos, ausência de lixeiras públicas, brinquedos enferrujados no único parque infantil que possuíamos, o mato tomando conta das praças... Mas em nenhum momento permiti que a consciência me incomodasse. Agarrava-me à ilusão de não ter nada a ver com aquilo, apesar de ser o prefeito em exercício.

Havia sempre a possibilidade de imputar a terceiros a culpa pelos desmandos públicos. Depois que aprendi a fazer isso, tudo ficou muito simples. O palavreado fluía com naturalidade, as ideias pululavam em minha mente, e as mentiras surgiam com tanta facilidade que até eu, que as estava criando, ficava convencido de que eram verdadeiras.

De caminhada em caminhada, fomos parar no quintal da casa do Tião do Brejo. Percebi que outros casebres haviam sido erguidos nos arredores e deduzi, com razão, que pertenciam aos filhos e filhas do "comedor de sapos". À medida que iam se casando, as construções rudimentares iam sendo erguidas, formando ali um feio, perigoso e irregular vilarejo familiar. Entre os casebres improvisados, nas veredas lamacentas sobre as quais escorria o líquido escuro e malcheiroso dos esgotos, brincavam os netos do Tião do Brejo: uma grande quantidade de crianças maltrapilhas e barulhentas.

Por um segundo, considerei a possibilidade de me deparar com Suzana, e esse pensamento me desassossegou. Por onde ela andaria? Estaria ocupando uma daquelas palhoças? Teria se casado? Seria mãe de algumas daquelas crianças encardidas que me cercavam curiosas, pedindo moedas? Ou continuaria distante, vivendo com a velha madrinha?

Mas não permiti que essas conjeturas me distraíssem, pois o que estava em jogo era muito mais importante.

Todas as vezes que alguma lembrança incômoda começava a me desviar dos objetivos traçados, a cara debochada do Olegário se formava em minha mente, mostrando-me da pior maneira o rumo que eu devia seguir.

Era a primeira vez que eu via o Tião do Brejo tão de perto. Deduzi que ele não era um homem necessariamente feio, porém maltratado pela rudeza da vida. A feição de seu rosto enrugado, de onde afloravam fiapos de uma barba rala e branca, não mudara muito desde os tempos em que, ainda criança, eu o via passando pelas ruas com enxadas e foices às costas, os pés descalços e a barra da calça dobrada até a altura das canelas, indo ou voltando das empreitadas de roçado e capina nas fazendas. Mas eu o via de longe e agora me surpreendia com alguns rudimentos da beleza de Suzana no semblante do pai dela.

Ele recebeu a comitiva com o chapéu de palha na mão e um sorriso ocre de nicotina. Convidou-nos para entrar em seu casebre, mas recusei-me.

– Conversemos aqui fora mesmo, seu Tião! Não há motivo para se preocupar com hospitalidades. Somos gente do povo – eu disse, com fingida simpatia.

O Tião pigarreou, chamou-me a um canto, recostou-se na parede da palhoça e disse:

– Doutor Valentim, queria dizer que sempre respeitamos e admiramos muito o senhor seu pai e, com certeza, vamos sempre votar no senhor e em quem o senhor indicar para a prefeitura.

– Muito obrigado, seu Tião!

Mas ele não havia terminado o pequeno discurso.

– Veja bem, doutor Valentim, somos quase cinquenta

eleitores na família e podemos, somando aqui e ali, dobrar esse número.

– Que maravilha! – exclamei com sincero interesse. – Posso contar com todos esses votos?

O homenzinho baixou os olhos e começou a bater com a ponta da botina na parede, tentando recolocar no buraco um torrão de reboco que ameaçava se desprender.

– Bom... Isso vai depender, né?

Abri os braços, ergui-os e os deixei cair sobre as coxas, produzindo um estalido, acompanhado de um profundo suspiro. Lá vinha peditório! Era sempre daquele modo que se iniciavam as conversas de quem queria alguma vantagem pessoal em troca do seu voto.

– Vai depender do quê, seu Tião?

– Do que o senhor tem pra propor, ué!

Olhei para o Fabiano e vi que ele estava quase rindo.

– Temos para propor um mandato de trabalho, respeito, dedicação e responsabilidade, seu Tião. Isso não basta?

O homem ameaçou erguer os olhos, mas ficou só na ameaça mesmo.

– É que a gente vive numa pindaíba de fazer dó, seu doutor! Um dinheirinho já ajudava... – disse olhando a ponta da botina, de onde a unha grossa e suja do dedo mindinho escapava por um rasgo na lateral.

– Entendi. O senhor está pedindo dinheiro para votar no nosso candidato. Não é isso?

Finalmente, ele me lançou um olhar firme. Pretendia conquistar a minha confiança.

– Mas não é só o meu voto, doutor Valentim! Garanto

que arranjo, no mínimo, cinquenta... Pode chegar a oitenta, cem...

Fechamos o acordo. Sinalizei para que o Fabiano acertasse com ele os detalhes da transação. Algumas dezenas de votos prometidos ao meu candidato por alguns trocados que, definitivamente, não me fariam falta alguma. E, se fizessem, eu já sabia como recuperá-los.

E foi desse modo que, apesar de eu ter deixado muito a desejar na etapa final daquele mandato, conseguimos eleger o dono da farmácia. Negociatas escusas como compra de votos, promessas de emprego e distribuição de benesses garantiram-nos a vitória.

Dessa vez, a diferença de votos foi até maior e me deu carta branca para dar sequência às ações iniciadas na administração anterior. Todo mundo sabia que o prefeito eleito tinha papel ilustrativo; que era eu quem mandava e desmandava na direção do município. Mas isso era apenas um detalhe e, com exceção do Olegário e sua turma, ninguém mais se importava com aquilo.

Capítulo 11

AUSÊNCIA

A Doutrina Espírita, pelas provas patentes que dá da vida futura, da presença em torno de nós, daqueles que amamos, da continuidade da sua afeição e da sua solicitude, pelas relações que nos faculta manter com eles, nos oferece uma suprema consolação numa das causas mais legítimas de dor. Com o Espiritismo, não há mais solidão, mais abandono; o homem mais isolado tem sempre amigos perto de si, com os quais pode conversar.

O Livro dos Espíritos – Questão 936 – Boa Nova Editora

No ano seguinte, ao final do primeiro semestre, nasceu o meu segundo filho com Elma. Ao contrário do Augusto, que viera ao mundo forte, gordo e corado, este chegou mirrado, com uma flagrante compleição de fragilidade, mas ainda assim saudável.

De qualquer modo, foi mais um motivo de comemoração em nossa casa. Nos últimos anos, principalmente por conta das inúmeras atividades como homem público, eu negligenciara ainda mais o papel de chefe de família. Mesmo assim, Augusto vivia agarrado comigo e, aos seis anos de idade, já dava claras demonstrações de liderança e personalidade. Chegava mesmo a me defender quando a mãe, quase sempre mal-humorada, ousava se queixar de mim na frente dele.

– Meu papai é um homem importante e muito ocupado – dizia o menino, aumentando ainda mais a ira de Elma.

– Era só o que me faltava! Agora, em vez de um, eu vou ter que tolerar dois trogloditas machistas nesta casa – dizia bufando de raiva.

Daquela vez não teve jeito. Eu não consegui evitar que Elma fizesse a tal homenagem ao pai dela, dando ao segundo filho o nome de Aurélio Neto. Na verdade, eu já não fazia muita questão de me envolver naqueles entreveros domésticos. Andava ocupado demais em administrar as falcatruas que ia alinhavando na prefeitura e estava cada vez mais enleado nos interesses escusos de meus correligionários.

De qualquer modo, para deixar bem evidente a desaprovação à atitude de Elma, passei a chamar o menino de Netinho e nunca o tratei de outro modo.

Dona Generosa, apesar de ter se alegrado muito com o nascimento do segundo neto, disse, enquanto acariciava o rostinho diminuto dele, no dia de seu nascimento:

– Que menino lindo! Pena que a vovó não terá muito tempo para desfrutar a sua companhia, meu queridinho!

Eu, Elma e até o Augusto ralhamos com ela. Mas minha mãe pronunciou essas palavras sem perder a costumeira serenidade e sem tirar dos lábios aquele sorriso que lhe era tão peculiar. Acometida de complicações pulmonares, ela previa a própria morte para próximo, mas o fazia sem demonstrar qualquer resquício de insegurança, amargura ou revolta.

– Não vou morrer – ela dizia. – Vou apenas deixar o plano material por um tempo. Depois eu volto num corpo novinho em folha, com pulmões saudáveis e um pouco mais de experiência para enfrentar a vida.

Observando aquela tranquilidade, eu chegava a sentir inveja da fé que ela possuía. Pensava em como deveria ser bom acreditar em algo tão reconfortante na hora da morte. Mas, definitivamente, crenças religiosas não estavam ao alcance do meu entendimento.

Numa manhã, três meses após o nascimento do Aurélio Neto, nós estranhamos, pois minha mãe não havia aparecido para tomar café. Ela ocupava, por vontade própria, um quartinho pequeno que ficava no final do longo corredor da residência. Geralmente ia para a cozinha antes mesmo das serviçais e gostava de ajudar a preparar o desjejum.

– Augusto, vá chamar a vovó para tomar café – ordenei ao meu filho.

Ele saltou da cadeira e saiu correndo pelo corredor.

– Vó, vó, vozinha...

Acompanhei-o com o olhar até o momento em que ele abriu a porta do quarto que a avó ocupava e entrou. Um minuto depois, voltou e disse:

– A vovó mandou falar que está tudo bem, mas que não está com fome. Disse que é para ninguém se preocupar com ela.

Achei aquilo muito estranho. Ainda que estivesse sem apetite, ela não deixaria de se sentar à mesa com a família. Nosso café da manhã era sempre juntos.

– Sua avó estava deitada? – perguntei.

– Não, pai. Ela estava em pé, olhando a rua pela veneziana da janela – disse o menino.

Aquilo me soou ainda com mais estranheza. Resolvi conferir o que estava acontecendo, e a cena com que me deparei no quarto de minha mãe destoava completamente do que o Augusto havia dito. Ela estava estirada na cama, numa posição incômoda. Aproximei-me rapidamente e a sacudi de leve.

– Mãe! Mãe! A senhora está bem?

Ela não se moveu. Não respondeu. Não fez absolutamente nada. Encostei o ouvido no peito dela, tentando ouvir sua respiração. Dona Generosa não respirava e, pela temperatura gelada de seu corpo, constatei que estava morta há horas.

Foi um baque terrível para todos nós, inclusive para as serviçais, que tinham verdadeira adoração por ela. Mas a situação mais complicada foi a do Augusto, que, além de inconformado com aquela perda tão importante, ficou muito confuso pelo fenômeno que testemunhara.

– Como é que eu vi a vovó na janela e conversei com ela, se ela já estava morta? – perguntou em meio a um pranto inconsolável.

Mas sua pergunta ficou sem resposta, pois eu não sabia o que dizer. A religião, assim como quase tudo em minha vida, era apenas uma forma de satisfazer às necessidades políticas.

Os correligionários me garantiram que frequentar a igreja e oferecer generosas contribuições financeiras às obras sagradas eram atitudes positivas, que agradavam muito aos eleitores. Mas, segundo eles, bastava isso para que um político cumprisse fielmente o papel de religioso. Acreditar em Deus e em doutrinas que apregoam a imortalidade da alma era outra coisa.

– Há muita gente que vive da religião e também não acredita em Deus – disseram-me os pseudossábios. – Além disso – afirmavam –, um homem público que se aproxime de Deus de forma verdadeira corre o risco de perder o rumo na vida. A fé, o temor e o amor ao Criador representam um empecilho às "relevantes atividades" que visam fortalecer os interesses partidários, abastecendo cofres ilegítimos, já que tais ações, apesar de indispensáveis, contrariam as chamadas leis divinas, principalmente no que diz respeito a "não servir a Deus e a mamon".

Desse modo, meu compromisso para com Deus era tão artificial quanto o era com os meus eleitores. Ou seja, eu os usava quando precisava e simplesmente os dispensava depois de atingir os meus objetivos.

A morte de dona Generosa foi uma perda irreparável em minha vida. Embora soubesse que a amava, eu não fazia a menor ideia do quanto aquela presença discreta e iluminada me era importante. Durante o período de luto, andei perdido, tentando compensar a falta da genitora e aliviar a revolta por sua ausência com atitudes irresponsáveis, faltando a compromissos importantes e tentando afogar a tristeza em tonéis de destilados.

Foi um período aziago, em que me vi sem chão. Interessante como eu só me dava conta da importância das pessoas em minha vida depois que as perdia. Agora entendia que os conselhos de minha mãe, a sua serenidade, o seu exemplo de bondade, embora quase sempre contestados por mim, eram o que refreava os meus instintos mais embrutecidos.

De certo modo, senti-me perdido sem aquela rédea invisível – porém eficiente – que me levava a ponderar antes de tomar atitudes inconsequentes. Mesmo agindo na ilegalidade, a existência de minha mãe me admoestava e limitava as minhas ações.

A liberdade de ação é algo perigoso para quem não impõe limites a si próprio, para quem fixa o olhar em uma meta distante e segue em frente sem olhar onde pisa, preocupado apenas em atingir os objetivos demarcados. Apesar de não lhe dar a devida atenção, dona Generosa era a lucidez que me faltava, o olhar sereno que me acalmava, o dedo sensato a apontar a direção correta e, ao mesmo tempo, a evitar que eu atropelasse aqueles que, de algum modo, contrariavam os meus interesses.

Capítulo 12

TRAIÇÃO

O homem quer ser feliz e esse sentimento está na Natureza. Por isso, ele trabalha sem cessar para melhorar sua posição sobre a Terra, procura as causas dos seus males, a fim de remediá-los. Quando compreender bem que o egoísmo é uma dessas causas, a que engendra o orgulho, a ambição, a cupidez, a inveja, o ódio, o ciúme, que o magoam a cada instante, que leva a perturbação em todas as relações sociais, provoca as dissensões, destrói a confiança, obriga a se colocar constantemente em defensiva contra seu vizinho, a que, enfim, do amigo faz um inimigo, então ele compreenderá também que esse vício é incompatível com a sua própria felicidade, acrescentamos mesmo, com a sua própria segurança.

O Livro dos Espíritos - Questão 917 - Boa Nova Editora

Um dia, Fabiano chegou ressabiado à minha sala de trabalho na prefeitura. Eu andava estranhando, pois ele havia sumido; parecia estar me evitando há algum tempo, apesar de continuar recebendo um excelente salário, pago agora pela Casa Executiva, na função de assessor.

Ele me olhou de um modo estranho e disse que tinha um assunto muito sério para tratar comigo. Sua atitude não me inspirou bons presságios, afinal sempre nos entendemos bem. Não havia motivo para aquele mistério todo entre nós.

– Seja o que for, desembuche, homem! Você sabe

que pode contar sempre comigo. Está envolvido em alguma encrenca? Precisa de dinheiro? É isso?

Fabiano baixou a cabeça e sinalizou que não era nada daquilo, aumentando ainda mais a minha desconfiança.

– Então fale de uma vez, rapaz! Está me deixando tenso.

Ele ergueu os olhos, encarou-me por um segundo e desviou a vista para o vidro das janelas através das quais se viam as palmeiras da praça.

– Você se lembra daquele dia em que estivemos na casa do Tião do Brejo? – perguntou por fim.

Puxei pela memória e me lembrei do encontro, mais pelo acordo da compra de votos.

– Sim. Lembro-me. Por quê?

– Bom... É que a Suzana estava lá.

Senti uma violenta fisgada no peito ao ouvir o nome dela. Eu andava esquecido daquela incômoda lembrança e foi como se meu primo houvesse me acertado o rosto com um jorro de água gelada. Disfarcei o quanto pude aquele desassossego.

– Sim. E daí?

– Ela se escondeu quando chegamos, porque não queria que você a visse. Mas, quando estávamos indo embora, uma das crianças me entregou um bilhete.

Outra fisgada em meu peito. Que inferno! Se continuasse daquele jeito, eu acabaria hospitalizado.

– Cadê o bilhete? – perguntei, esticando o braço na direção dele.

Fabiano não se moveu.

– Eu também pensei que fosse para você, Valentim,

mas não era. No bilhete, a Suzana dizia que queria falar comigo e me pediu para voltar lá sozinho, quando desse. Eu deduzi que ela queria saber notícias suas e a procurei no dia seguinte.

– E por que não me falou nada sobre isso?

– Porque ela me pediu segredo e eu não sabia exatamente quais eram as suas intenções. Precisava descobrir primeiro para depois lhe contar.

– E o que ela queria? – eu já não estava preocupado em disfarçar a ansiedade.

– Exatamente o que eu suspeitei. Queria saber tudo sobre você.

– Mas ela já não sabia? Uma cidade pequena como esta...

– A Suzana não estava morando aqui, primo. Ela tinha voltado há menos de um mês. Disse que precisou voltar porque a madrinha havia falecido e os parentes da tal madrinha não gostavam muito dela. Achavam que a Suzana era uma exploradora da boa-fé alheia, já que vivia praticamente à custa da tal senhora.

– E você contou o que ela queria saber?

– Somente o que achei necessário.

– E o que exatamente você achou necessário?

– Suzana queria saber como era a sua vida... Se você era feliz...

– E o que você respondeu?

– Disse que sim. Falei que você se casou com uma moça muito bonita e rica; que tem dois filhos lindos e que está se saindo muito bem na carreira política...

À medida que Fabiano descrevia a minha suposta

vida feliz, eu fui ficando irritado. O que pretenderia, afinal? Estaria tentando eliminar qualquer possibilidade de uma reaproximação entre mim e Suzana? Teria segundas intenções para com ela? Essa desconfiança me causou um tremendo mal-estar. Tive a sensação de que uma matilha raivosa arrancava-me pedaços das entranhas.

– E quem lhe disse que eu sou feliz? – perguntei quase gritando.

Fabiano se encolheu.

– Ninguém me contou nada, primo. Mas achei que não ficaria bem se eu dissesse que você é infeliz. Já pensou? A Suzana poderia espalhar isso por aí e prejudicar a sua carreira. Os eleitores poderiam pensar que você ostenta um casamento de fachada, que você é um hipócrita... Afinal, a Elma tem subido nos palanques, tem recebido declarações de amor em público...

– E daí? – perguntei socando a mesa.

Havia uma fornalha em meu peito. Fabiano sabia que eu e Elma realmente ostentávamos uma vida de fachada, uma relação inconsistente, cheia de atribulações. Estava claro que ele ciscava em torno de alguma coisa muito mais grave, e aquilo estava se tornando uma tortura para mim.

– Chega de dissimulação, Fabiano! Pare de ficar ciscando em torno disso e me diga com sinceridade: é esse o assunto sério que precisamos conversar e que o fez ficar tão preocupado? Que o manteve afastado de mim nos últimos tempos?

Fabiano me encarou como se fosse contestar alguma coisa, mas, ao se deparar com o meu olhar colérico, retraiu-se e disse quase num sussurro:

– Não, Valentim. A verdade é que eu e a Suzana vamos nos casar.

Dessa vez não foi uma simples pontada que senti no peito; foi a explosão de uma bomba nuclear detonada dentro dele. Cheguei a sentir fraqueza nas pernas.

– O quê? Eu ouvi direito? O que você disse?

A minha reação agressiva fez com que Fabiano se aprumasse e me fitasse os olhos, colocando em prática o velho ditado: "o ataque é a melhor defesa".

– Qual é o problema, Valentim? Eu disse que vou me casar com a Suzana – retrucou aos trancos, como se tivesse que fazer força para as palavras saírem.

Soquei novamente a mesa.

– Traição, Fabiano! Traição das grandes! Imperdoável!

Ele ponderou, tentando acalmar as coisas. Estava tão incomodado com aquela conversa quanto eu.

– Valentim, eu poderia concordar que é traição se estivesse falando da Elma. Ela é a sua esposa, a mãe dos seus filhos. Pergunte a ela se alguma vez eu lhe faltei com o respeito. A Suzana não tem nada mais a ver com você. Eu e ela somos descompromissados. Conversamos muito e iniciamos um namoro. Gostamos de estar juntos um do outro e vamos nos casar.

Fabiano caminhou até a janela. Lançou um olhar lépido pela praça. Depois se virou novamente para o interior da sala e me disse com o tom mais apaziguador que conseguiu impor à voz:

– Veja bem, Valentim... Não vim aqui para pedir o seu consentimento. Eu não preciso dele para fazer o que quero. Vim avisá-lo apenas por uma questão de amizade e consideração. Sei que você nunca esqueceu a Suzana e estou aqui para preparar o seu espírito. Fiz questão de contar o que está acontecendo, justamente para não ser tachado de traidor; para que a notícia não chegasse aos seus ouvidos pela boca de outra pessoa.

– Vocês se merecem – rosnei, procurando a cadeira para me sentar. Sentia-me fraco, abatido. – Não percebe que a Suzana só se aproximou de você para se vingar de mim, rapaz? Que foi uma forma que ela encontrou de me afrontar?

Fabiano baixou a cabeça por um instante e logo voltou a me encarar. Seus olhos expunham um brilho estranho. Um brilho possivelmente parecido com o que havia nos meus, quando conheci Suzana.

– E você acha que eu não sei disso? – respondeu-me com voz lamuriosa. – Eu também sei que ela não o esqueceu, primo, mas não me importo. Eu a amo e tenho todo o tempo do mundo para conquistá-la, para fazer com que ela esqueça o que vocês viveram.

Eu estava arrasado. A verdade é que me sentiria menos ofendido se o Fabiano estivesse falando da Elma. Aliás, até preferiria que fosse ela, e não a Suzana, a ser tirada de mim. Quer dizer, "tirada de mim" num sentido figurado, naturalmente. Há anos eu a rejeitara sem o consentimento do meu coração.

Agora, diante da novidade exposta pelo Fabiano, eu me sentia derrotado. Sentia-me traído pela única mulher cuja lembrança promovia aquecimento em minha alma e pelo homem que eu tinha em consideração como um bom parceiro. Era como se dois pedaços de mim estivessem sendo arrancados, provocando uma dor dilacerante, um sofrimento que nenhum remédio do mundo seria capaz de abrandar.

E foi justamente o impulso provocado por aquela dor que me fez levantar abruptamente. Avancei contra o Fabiano, ignorando o fato de ele ser bem maior e mais forte do que eu. Segurei-o pelo colarinho e esbravejei, chuviscando saliva em seu rosto:

– Não importa o que diga, Fabiano. Para mim, você é um maldito traidor e nunca vai ser perdoado por isso. Se quiser mesmo casar com a filha do Tião do Brejo e gerar um bando de comedores de sapos, o problema é seu – ironizei cheio de despeito. – Mas nunca mais conte comigo para nada! Esqueça que somos parentes e amigos. Esqueça tudo o que eu disse em termos de parceria. Suma da minha frente para sempre!

Enxotei-o da sala. Fabiano saiu cabisbaixo, sem dizer mais nada. Naquele mesmo dia, exonerei-o do cargo de assessor. No que dependesse de minha vontade, ele nunca mais receberia uma moeda de minha empresa ou da prefeitura. Que fosse comer sapo na panela do Tião do Brejo e de sua prole miserável.

Depois daquela conversa indigesta com o Fabiano, o desassossego voltou a rondar o meu leito, a espantar-me o sono das madrugadas. O fato de saber que Suzana estava ali tão próxima e que o meu primo iria desposá-la deixava-me angustiado. Eu preferiria mil vezes que ela tivesse desaparecido, que nunca mais houvesse colocado os pés naquela cidade.

A indignação de me sentir traído pelo Fabiano levou-me a considerar até mesmo a possibilidade de matá-lo. A ideia de vê-lo desfilando de mãos dadas com Suzana, esfregando em minha cara a sua felicidade, deixava-me enlouquecido. E o assassinato do meu primo foi uma vaga projeção que começou a germinar em minha mente.

Minha inquietação foi tão abrangente que até Elma percebeu a gravidade daquele mau momento e me questionou:

– Cruzes, Valentim! Por que você anda tão agitado? Tem se debatido na cama a noite toda, como se estivesse brigando com alguém. Depois acorda com essa cara azeda...

Minha resposta não foi nada amistosa:

– Problema meu, mulher! Não se meta. Se quiser ocupar outra cama para dormir mais confortavelmente, fique à vontade. Quanto à cara azeda, eu só tenho esta e não vou adoçá-la apenas para lhe agradar.

Elma se arrependeu de ter tocado no assunto. Conhecia-me o suficiente para saber que levaria pedradas. O nosso relacionamento ficava cada vez mais insuportável, como se uma cratera estivesse se abrindo entre nós e, a cada dia, crescesse um pouco mais em dimensão e profundidade.

Nos dias seguintes, arranjei um olheiro para observar e me manter informado de todas as novidades possíveis a respeito da vida de Suzana. E o que fiquei sabendo me deixou ainda mais enervado: Fabiano havia adquirido ou alugado uma pequena casa num bairro modesto da cidade.

Ele e Suzana não chegaram a se casar, mas estavam morando juntos e, ao que tudo indicava, andavam felizes e sorridentes.

Planejei mil situações para afrontá-los e, mais uma vez, andei exagerando no consumo de alcoólicos, objetivando anestesiar a dor que me machucava sem se mostrar.

Fiquei sondando a tal residência onde Suzana e Fabiano viviam. Era uma casinha bonita, de muro baixo, com um jardim repleto de rosas brancas e amarelas em sua entrada. Por mais que não quisesse admitir, eu estava morrendo de ciúmes e de inveja do meu primo.

Numa fria manhã de inverno, estacionei meu carro a certa distância da residência deles e, protegido pelos vidros escuros, fiquei observando. Eu já havia me informado sobre a rotina do casal. Não tinha informações sobre o novo trabalho do Fabiano, mas sabia que ele saía de casa sempre no mesmo horário, retornando somente ao fim do dia.

De repente, meu coração disparou. A porta da casa se abriu. O casal saiu, sorridente. Suzana acompanhou o marido até o portão, deu-lhe um beijo rápido e entrou correndo, protegendo-se do vento gelado, pois estava usando apenas um roupão fino sobre a camisola de seda.

Aquela visão despertou mil pensamentos enlouquecedores em mim. Naquele momento eu percebi que a volúpia do forte sentimento que nutria por Suzana permanecia mais viva do que nunca. Ela continuava linda!

“Como pude abandoná-la?”, eu me perguntava. “Como fui me deixar levar pela imposição de pessoas que não têm a menor consideração pelo que eu sinto?” E, cheio de ansiedade e aflição, esperei Fabiano desaparecer na esquina. Desci do carro e dei uma corrida até a casa. Meu coração estava sobressaltado, fazendo-me respirar com dificuldade. O portãozinho não tinha tranca. Foi muito fácil chegar à porta. Bati levemente e aguardei. Ouvi passos se aproximando pelo lado de dentro e a voz de Suzana perguntando:

– Esqueceu alguma coisa, meu amor?

Assim que ela abriu, eu a empurrei para o interior da sala e, aproveitando o momento de surpresa em que ela ficou temporariamente incauta, envolvi-a num forte abraço e tentei beijá-la. Suzana virou o rosto para o lado, empurrou-me com força e me deu uma violenta bofetada.

– Como ousa? – ela gritou furiosa, trêmula de susto. – O que você está fazendo aqui?

Fiquei confuso. A imprevista pancada me deixara um tanto desnorteado.

– Vá embora! – ela continuou gritando. – Se você não for, eu vou chamar a polícia!

Baixei a cabeça em silêncio. Suzana respirava ofegante. Diminuiu o tom de voz, mas continuou inflexível:

– Quem você pensa que é, doutor Valentim? Acha que pode invadir assim a casa de um homem e ir agarrando a mulher dele? Sabe que isto é crime e dá cadeia? Ou o seu diploma de advogado é tão falso quanto o seu caráter?

Eu continuava confuso. As pontadas que se manifestavam em meu peito em momentos de forte emoção chegaram de modo insuportável. Pensei que fosse desmaiar de tanta dor.

– Desculpe! Eu pensei que... – foi só o que consegui sussurrar, fazendo uma careta de dor e esfregando o peito.

– Pensou que me encontraria à sua disposição, não

é? Pois está enganado, meu caro! Sou mulher de um homem só, e este homem se chama Fabiano.

– Desculpe... – voltei a pedir.

Ela pareceu se acalmar um pouco. Deve ter percebido que eu estava passando mal. Entreabriu a porta e sinalizou para que eu saísse.

– Antes que você vá embora, Valentim, deixe-me apenas esclarecer uma coisa: eu e o Fabiano nos amamos. Estou muito feliz por ter, finalmente, encontrado um homem de verdade em minha vida. Desapareça daqui e nunca mais me procure. Nunca mais encoste um dedo em mim, ouviu? Se isso acontecer de novo, vai lhe custar muito caro. Eu tenho nojo de você, doutor Valentim! – disse isto e cuspiu de lado.

Enquanto saía, olhei de relance para Suzana e vi que ela estava com os olhos umedecidos. As lágrimas que os marejavam, ampliando seu brilho natural, expunham um sentimento inexprimível. Eu não tive certeza do que significava aquela expressão, mas a intuição me dizia que era tristeza.

Capítulo 13

ESCÂNDALO

A infelicidade, para muitos, resulta de tomarem um caminho que não é aquele que a Natureza lhes traçou; então lhes falta a inteligência para terem êxito. Há para todos lugar ao Sol, mas com a condição de aí tomar o seu, e não o dos outros. A Natureza não poderia ser responsável pelos vícios da organização social e pelas consequências da ambição e do amor-próprio.

O Livro dos Espíritos – Questão 707 – Boa Nova Editora

Depois do incidente na casa de Suzana, decidi abandonar a empreitada inútil de uma reaproximação e voltei a me concentrar na política. Nas próximas eleições, voltei a concorrer e, apesar da péssima administração daquele mandato, consegui convencer o eleitorado de que a culpa era do prefeito e não minha. Afinal eu fora apenas um funcionário comissionado daquela administração. Novamente andei comprando votos de pessoas desesperadas como o Tião do Brejo e sua prole. Dessa vez, o pobre sujeito pediu um pouco mais de dinheiro e, em contrapartida, prometeu mais votos.

– A família está crescendo, doutor Valentim! E lá em casa todo mundo vota no senhor – ele assegurou com seu sorriso encardido.

Fui eleito para a minha segunda atuação como prefeito municipal. Mas, em meados do segundo ano daquele mandato, as coisas fugiram ao controle. Agora eu não possuía tantos aliados na Câmara de Vereadores e, devido à insatisfação de alguns deles, acabei denunciado por irregularidades e tive de prestar contas às autoridades.

Um escândalo de proporções medianas fez com que auditores andassem vasculhando a documentação da prefeitura. Bastou isso para que parte da população, manipulada pelos adversários políticos, iniciasse um movimento contrário ao meu governo.

No dia mais tumultuado desse movimento, uma pequena multidão hostil cercou a prefeitura, e o clima ficou muito tenso. Foi preciso solicitar ajuda policial. O delegado e meia dúzia de homens armados ficaram de sentinela na escadaria do prédio para intimidar a turba revoltada que ameaçava invadi-lo.

Dentre os revoltosos estavam também alguns vereadores da oposição e vários servidores públicos que haviam iniciado um movimento grevista, indignados com os atrasos de seus vencimentos e com a falta de correção salarial, cujas negociações com o sindicato da classe se arrastavam há mais de um ano.

Por conta da greve, as escolas, postos de saúde e até o serviço de limpeza da cidade estavam praticamente paralisados, mergulhando o município num caos sem precedentes. Trancado em meu gabinete, eu ouvia a voz metálica que soava através de um megafone:

– Senhor prefeito, prove que é um homem honrado e saia pelo menos na janela para dialogarmos. Temos aqui uma mãe inconsolável que perdeu seu filhinho de três anos por causa da falta de estrutura no posto de saúde municipal. A criança morreu devido a uma simples pneumonia, que, se tratada condignamente, não a mataria. Venha consolar essa mãe, senhor prefeito! Venha explicar a ela e às outras mães e pais que aqui se encontram por que é que há tanto abandono nos serviços públicos do município; serviços que deveriam ser prioridade em qualquer gestão. Por que não há merenda nas escolas, senhor prefeito? Por que boa parte dos funcionários públicos está em greve, queixando-se de baixos salários e atraso nos pagamentos?...

Era a voz inconfundível do Olegário. Não havia dúvida de que aquela manifestação fora organizada por ele, e isso me deixava ainda mais irritado. Em minha concepção, aquela gente não deveria estar ali; não tinha o direito de me desafiar daquele jeito. Onde estariam os meus correligionários, os parasitas do meu mandato? Muitos deles tinham seus nomes na folha de pagamento da prefeitura, nomeados para cargos muito bem remunerados, sem sequer cumprirem expediente. Por que não estavam ali, defendendo os nossos interesses?

Percebi que há momentos na vida em que nos sentimos miseravelmente solitários, não importa quantos amigos e parentes tenhamos. Ficamos sozinhos em meio às tempestades morais, sem o amparo dos bajuladores de plantão. Eu apenas me esquecia de que estava enfrentando as consequências de meus próprios atos, de minhas equivocadas escolhas.

No entanto, por mais que os cidadãos me acusassem,

eu não compreendia a razão de tanta revolta. Reconhecia haver problemas na cidade, mas problemas há em todas as cidades do planeta, eu pensava. Há pobreza demais no mundo, doença demais, fome demais, carências de toda ordem – eu as enumerava, tentando justificar os meus desarranjos.

– Um prefeito não pode resolver tudo sozinho – eu dizia para mim mesmo, em voz alta, para abafar a cantilena do Olegário e das pessoas que, manipuladas por ele, acotovelavam-se em frente à prefeitura, gritando bordões de protesto e desacato. – Cadê o respeito? – eu me perguntava socando a mesa, enquanto observava a movimentação pública pela fresta da veneziana.

De repente, a cena que vi me deixou ainda mais indignado. Fabiano estava ao lado do Olegário, gritando palavras de ordem e expondo uns cartazes de protesto. Mais uma vez me senti traído pelo meu primo e tive vontade de esganá-lo. Descobri, por fim, com quem Fabiano estava trabalhando, e o desejo de matá-lo ganhou um pouco mais de força em meu pensamento.

O traidor também estava por trás daquela manifestação que, a meu ver, fora organizada apenas para me prejudicar politicamente. Havia, sim, desonestidades na prefeitura, documentos e matemáticas distorcidos para "esquentarem" números "frios" e darem legitimidade a ações ilegítimas, a finanças que se desviavam de seus cursos, a investimentos que se perdiam entre o projeto e a conclusão. Mas tudo aquilo me parecia razoável, compreensível, aceitável!

– Pode um partido político se manter sem dinheiro? Um homem público andar de chinelas, com um pires na mão a mendigar favores? – eu me perguntava e me respondia em seguida, fazendo coro àquilo que meus ausentes correligionários afirmavam: – É claro que não pode!

E confabulava comigo mesmo, tentando justificar o injustificável. Desvio e posse pessoal de dinheiro público, depois que passamos a fazê-los, tornam-se uma prática rotineira, como se fosse a coisa mais natural do mundo. Depois que descobrimos os atalhos para a consecução de tais deslizes, tudo se descomplica. Parece uma ação tão inocente quanto a atitude de um menino que vai ao armazém comprar miudezas e se apropria das moedinhas do troco.

Chega um ponto em que as ações irregulares tornam-se prioridade, porque, aos poucos, vão se criando lastros, que se ampliam, ganhando relevância nas necessidades particulares de quem as pratica. Não se pensa mais nas crianças que ficam sem merenda, nos servidores com os salários defasados, nos doentes que morrem nas filas dos postos de saúde, nos atoleiros das estradas, nas línguas negras de esgotos que correm a céu aberto espalhando pragas...

A prioridade é acumular dinheiro para os correligionários, para o partido político, para as despesas pessoais que vamos criando e que nunca acabam. É um inferno criado por nós mesmos e que depois se torna um cativeiro perene. Difícil sair desse enleio, porque há sempre um rabo na ratoeira; um par de olhos vigilantes e acusativos; um chantagista de plantão; um aproveitador querendo "entrar para o esquema". É uma bola de neve rolando montanha abaixo. Impossível detê-la!

Eu não precisava daquilo. Herdara os negócios do meu pai e o sobrenome honroso de meus antepassados. A família de minha esposa também possuía riquezas. Eu já nem sabia mais em que momento da vida havia caído em tentação, possivelmente por necessidades e argumentações de terceiros. Por certo, também pelo gosto do desafio. Pelo prazer de demonstrar astúcia e sagacidade; de colocar o Olegário no bolso.

Quantos homens tidos como sérios invadiam o meu gabinete a todo o momento para propor indecências? Ou melhor, rentáveis indecências?! Fornecedores oportunistas, prestadores de serviços desonestos e todo o tipo de parasita a oferecer propinas para levar vantagens.

E as propostas chegavam de modo tão adocicado, tão dissimulado, que era quase impossível ver nelas um sinal de pecado ou nódoa moral. Do modo como colocavam as ideias, dava a impressão de que até Deus relevaria.

O dinheiro desviado nunca era para um projeto pessoal, para um bolso sequioso, segundo diziam. Tinha sempre uma destinação "nobre e honrosa", por exemplo, patrocinar a campanha de um determinado candidato a esse ou àquele cargo público. Não se tratava de desvio de dinheiro, mas de investimento, alegavam.

– Depois de eleito, o deputado fulano de tal vai defender os interesses da cidade no Congresso. Vai lutar por verba federal e estadual para os cofres do município. Trará investimentos e desenvolvimento para a região... – garantiam-me os conselheiros do partido.

Mas isso nunca se concretizava. Depois de eleito, não se ouvia mais falar o nome do tal sujeito e, salvo raríssimas exceções, não se enviava sequer um bilhete de agradecimento. Percebi que vivia num mundo egocêntrico, onde a maioria tem os olhos grudados no próprio umbigo, e quem passa ao lado, ainda que esteja gemendo de dor, fome ou sede, só não é completamente ignorado se o período for de eleições. Do contrário, que se enforque com as próprias tripas! Ninguém lhe dará ouvidos.

Houve um tempo em que acreditei na lenga-lenga de meus "companheiros de ideais", conforme se intitulavam. Principalmente no início de minha vida pública, quando eu era bem mais ingênuo e dava crédito desmedido a homens aparentemente respeitáveis.

E assim ia, por esse ou aquele caminho escuso, o dinheiro que deveria dignificar o salário do servidor público, colocar merenda na escola, remédio na farmácia, equipamentos e profissionais nos postos de saúde, asfalto nos atoleiros das estradas... Um buraco sem fundo por onde se escoavam os fundos financeiros do município.

E a assinatura posta abaixo de todos aqueles desmandos era a minha – autoridade máxima de um dos municípios mais desleixados e corrompidos da região. Não há como me esquivar agora de responsabilidades, fingindo inocência. Mesmo quando me deixava engabelar pelos outros, eu sabia que estava agindo errado. Esses deslizes ficam muito claros na consciência; não há como negá-los.

Os movimentos populares duraram alguns dias, mas depois se evaporaram feito nuvem em época de ventania. Aliás, aprendi bem cedo que isso é muito comum na vida política: um escândalo perdura apenas até o momento em que outra novidade o substitua. E a verdade é que há escândalos demais no mundo para que um ou outro dure um tempo muito longo.

As auditorias nas contas da prefeitura acabaram não dando em nada. Não quer dizer que não houvesse irregularidades, mas acordos feitos nos bastidores, firmados entre partidos e autoridades de esferas superiores, considerando coligações para eleições mais importantes, conseguiram abafar o caso, e eu recebi uma espécie de salvo-conduto para atuar como bem entendesse.

Aliás, recebi também uma verdadeira aula de como não deixar tantos rastos nas ações fraudulentas. Parece que tudo estava contribuindo para que eu me chafurdasse cada vez mais naquele lodaçal de corrupção. As pessoas mandadas para investigar as contas da prefeitura eram tão corruptas quanto eu e meus companheiros de desmandos. Quem deveria me punir acabou me indicando o caminho das pedras para que os futuros desvios fossem mais discretos.

– Não basta fazer; é preciso saber como! – disseram-me os orgulhosos instrutores de vigarices, disfarçados de servidores sérios, com seus ternos sóbrios e a hipocrisia dos discursos moralistas.

Dias depois, quando a situação havia serenado, minha secretária informou que o Tião do Brejo estava na prefeitura e mandara dizer que não iria embora enquanto não falasse com o prefeito. Sem saber exatamente por qual razão, achei que Suzana estivesse por trás daquilo e por um segundo senti o peito aquecido pela emoção.

Pensei que talvez ela houvesse se arrependido de ter me maltratado em sua casa e solicitara ao pai que me procurasse para entregar um bilhete ou dar algum recado pedindo desculpas. Eu achava impossível que os pais de Suzana não soubessem o que havia acontecido entre nós.

– Mande o seu Tião entrar – ordenei.

Recebi o pai da Suzana em meu gabinete e percebi, decepcionado, que estava completamente iludido. Ele não estava só; empurrava uma cadeira de rodas enferrujada, com um menino que deveria ter uns dez anos de idade e que possuía o corpo mole e o olhar parado, voltado para o teto.

Chapéu de palha na mão, o Tião me olhou com um misto de tristeza e raiva. Achei que ele fosse me cumprimentar, mas o que ouvi foi muito diferente de uma saudação cordial:

– O senhor, doutor Valentim, é um homem mau e não deveria ser prefeito de cidade alguma. Vim aqui para lhe dizer isto, olhando nos seus olhos.

Indignei-me. Além da decepção de ver que a visita nada tinha a ver com Suzana, ainda era insultado por um homem que, a meu ver, era o mais claro exemplo de fracasso e insignificância que eu conhecia.

– Você é muito atrevido, seu Tião! – retruquei severamente. – Por que está dizendo isto? O que há de errado com a minha administração?

Ele não se intimidou.

– Está tudo largado, doutor Valentim! O posto de

saúde fechado, o hospital sem médico, a farmácia sem remédio...

Interrompi-o com ódio. Estava na cara que o Tião do Brejo fora orientado pela oposição, ainda mais agora que seu novo genro se bandeara para o lado do Olegário. Aquele homem não tinha capacidade intelectual para raciocinar daquele modo.

– Está falando do quê, homem de Deus? E você sabe, por acaso, o que é administração pública?

A cara do Tião murchou. Ele apertou o chapéu de palha contra o peito. Não tinha meios de sustentar uma discussão de alto nível.

– Saber, eu não sei, mas...

– Mas o quê, homem? Quem anda enfiando caraminholas na sua cabeça?

Ele tentou retomar a postura de afronta e despejou um discurso célere, emendando as palavras com a voz um pouco trêmula:

– Ninguém, não senhor. É que este meu filho está muito doente e eu não consigo tratamento pra ele... O menino se contaminou com a água da última enchente que deu lá em casa e que estava cheia de esgoto...

– E daí? – interrompi-o. – O que é que eu tenho com isso?

– Ué! E não tem? Problema de enchente e esgoto jogado no rio não é coisa que a prefeitura devia cuidar? Falta de médico e remédio no posto de saúde também não?

Esse comentário foi como uma bofetada em meu rosto. Estava claro que o Tião do Brejo fora orientado e, com certeza, o Fabiano estava por trás daquilo.

Ele empurrou a cadeira de rodas com a criança para mais próximo da minha mesa e, abandonando a postura afrontosa, suplicou:

– Tem piedade, doutor Valentim! Me ajuda a cuidar deste menino...

Eu estava irritado demais para me sensibilizar com peditórios. Paciência não era uma das minhas virtudes, definitivamente.

– Deixe-me dizer-lhe uma coisa, seu Tião. Você é muito cara de pau. Vem aqui, me chama de mau prefeito, me afronta e agora pede ajuda para cuidar do seu filho aleijado? Aliás, você não é velho demais para ainda ficar arrumando filhos com a tonta da sua mulher? Para de colocar criança no mundo, homem!

Ele voltou a se encolher, assumindo uma postura submissa, certamente tentando me comover. Mas o meu maior trunfo ainda não fora usado, e eu não deixaria passar em branco, afinal, o que eu tinha a dizer servia também como um recado para o Fabiano. Eu acreditava piamente que aquela conversa chegaria aos ouvidos dele.

– Seu Tião, você deve se lembrar muito bem de qual foi o nosso trato para conseguir o seu voto. Lembra-se do que você me pediu em troca?

Ele baixou a cabeça e amarfanhou ainda mais o chapéu de palha contra o peito. Mas o estopim fora incendiado, e eu não deixaria aquilo barato.

– Você pode ter se esquecido, mas eu não esqueci. Você me pediu dinheiro! Ou seja, o seu voto não foi para que eu fizesse um bom governo e cuidasse dos problemas do município. O seu voto eu comprei e paguei o que foi pedido por ele. Portanto, está muito bem pago, e eu não lhe devo nada, seu Tião! Outros podem até me cobrar, mas você não. Entendeu? Você e a sua família não têm direito de me pedir mais nada.

Ele ainda tentou dizer qualquer coisa, mas, ao se deparar com o meu olhar furibundo, desistiu. Suspirou várias vezes, batendo o pé no chão, feito uma criança birrenta. Depois deu meia-volta, saiu empurrando a cadeira de rodas com o filho aleijado e desapareceu, deixando um cheiro bastante desagradável em meu gabinete.

Só então percebi que havia uma poça alaranjada no lugar onde ficara posicionada a cadeira do menino. Naturalmente a ocorrência fora involuntária, fruto de incontinência urinária do rapazinho doente, mas para mim aquilo havia sido uma afronta imperdoável, atrás da qual, em meu pensamento, encontravam-se as maquinações traiçoeiras do Fabiano.

E o ódio que eu passara a sentir pelo meu primo aumentava a cada dia, ampliando sobremodo o desejo de eliminá-lo.

Capítulo 14

DERROTA

A civilização desenvolve o senso moral e, ao mesmo tempo, o sentimento de caridade que leva os homens a se prestarem um mútuo apoio. Os que vivem à custa das privações alheias exploram os benefícios da civilização em seu proveito; não têm da civilização senão o verniz, como há pessoas que não têm da religião senão a máscara.

O Livro dos Espíritos – Questão 717 – Boa Nova Editora

Depois daquele tumultuado período administrativo, as coisas ficaram um pouco mais complicadas, e o pessimismo começou a rondar o diretório do partido. Na eleição seguinte, utilizamos a mesma estratégia de tentar eleger um personagem figurativo, o que garantiria a minha permanência no poder por mais um mandato. Mas o desgaste político era muito grande, e a insatisfação dos eleitores, dos funcionários públicos e até de alguns ex-parceiros pesava negativamente para o nosso lado.

Era estranho, mas durante todos aqueles anos não

surgiu nenhum outro candidato para pôr fim àquela hegemonia. A administração da prefeitura ficava se alternando entre os dois partidos políticos mais influentes na cidade. Os outros tinham sempre papel secundário, atuando apenas como forças coligadas.

Desnecessário dizer que essas coligações eram alinhavadas com base em interesses pessoais, oferta de secretarias, cargos comissionados e coisas assim. Portanto, sempre que surgia uma nova vertente política acenando com a possibilidade de uma terceira opção para o eleitorado, os dois principais partidos se mobilizavam rapidamente, e os possíveis candidatos ao Executivo municipal acabavam sendo aliciados por um ou outro. Era fácil manipulá-los, pois, no fundo, suas aspirações eram muito mais particulares do que coletivas.

Durante a campanha, eu e meus correligionários fomos hostilizados diversas vezes. Passamos a ter uma relação muito íntima com vaias e agressões verbais, e nossos discursos perderam a força persuasiva dos anos anteriores.

Elma se recusou a me acompanhar aos comícios, principalmente depois que um dos candidatos ao Legislativo pelo meu partido foi atingido no rosto por um ovo podre. As pessoas bonitas e bem-sucedidas que haviam me declarado apoio no passado arranjavam agora mil desculpas para não subirem comigo nos palanques.

Eu andava desanimado, pensando em jogar a toalha. No entanto, uma presença improvável começou a me acompanhar naquele ano. Augusto era agora um adolescente ativo e falador, e enfrentou aguerridamente a oposição da mãe, que o queria longe dos eventos políticos.

– Eu quero ficar ao lado do meu pai – ele dizia determinado.

Elma discordava.

– De jeito nenhum! Há muita confusão nesses comícios. Pode haver briga e alguém acabar ferindo você.

– Não vai haver briga, mãe. E, se acontecer alguma coisa, o meu pai me protege.

A determinação do meu filho e a confiança que ele depositava em mim me deram novo ânimo para prosseguir na campanha. Obviamente Augusto não foi a todos os eventos. Em determinados lugares, principalmente nos redutos eleitorais do Olegário, as pessoas tinham um comportamento mais hostil para com os candidatos do meu partido.

A esses locais eu não o levava, é evidente, mas o levei a muitos outros eventos. Augusto ficava sorrindo durante os discursos, principalmente no momento em que o público nos aplaudia com estrondo.

Numa noite em que voltávamos para casa, após um desses grandes eventos, ele me pediu:

– Pai, me ensina a ser político?

Fiquei feliz com aquilo e decidi aprofundar a conversa:

– E por que você quer ser político?

Ele olhou para os lados. Eu dirigia devagar, passando pela rua principal da cidade.

– Para cuidar de tudo isto – ele respondeu, girando as duas mãos, como se quisesse, com aquele gesto, abarcar a via pública e tudo o que havia nela.

– E você acha que consegue?

– Bem... Com a sua ajuda, eu sinto que vou conseguir.

Sorri e bati levemente a mão na perna dele.

– Está bem, Augusto! Prometo que vou ajudá-lo a se tornar prefeito desta cidade e, quem sabe, muito mais do que isso, hein?

Ele arregalou os olhinhos.

– Muito mais?

– Sim!

– Tipo o quê?

– Filho, ser prefeito de uma cidade como esta não é tão importante assim. Há cargos públicos muito mais interessantes, por exemplo, o de deputado, senador, governador, presidente da república...

Augusto me encarou com os olhos brilhando.

– Nossa! Eu não quero tudo isto, pai. Serei muito feliz se conseguir ser como o senhor.

Aquilo me deixou ainda mais orgulhoso. Senti-me importante ouvindo aquelas palavras tão puras e sinceras do meu primogênito.

No entanto, naquele ano não houve mesmo jeito, e o Olegário saiu vencedor das eleições. A diferença de votos foi imensa em favor dele. Seu partido conseguiu também eleger a maioria dos vereadores. Dessa vez, o queijo e a faca estavam nas mãos do meu adversário, e ninguém me tirava da cabeça que o Fabiano havia contribuído muito para a minha derrota.

A prefeitura foi entregue numa situação caótica. Salários atrasados, servidores insatisfeitos, dívidas vencidas com fornecedores e prestadores de serviços, cobranças judiciais... Enfim, um verdadeiro caos!

Olegário ameaçou pedir uma auditoria para me imputar responsabilidades fiscais, mas novamente acordos feitos nas esferas superiores entre os partidos trataram de abafar o caso. Os interesses comuns no âmbito estadual e federal sobrepuseram-se aos litígios pertinentes ao município e forçaram uma espécie de acordo de cavalheiros entre nós.

Entretanto, dessa vez eu tive de recorrer a recursos pessoais para não me complicar. Ocorre que, no acordo feito nos bastidores, decidiu-se que algumas daquelas contas eu teria de honrar, pois todos acreditavam que boa parte do dinheiro desviado dos cofres públicos estava em meu poder.

E o pior é que eu já nem sabia mais se as pessoas que assim pensavam estavam certas ou erradas. Andara fazendo tantas falcatruas, tantas artimanhas, que já não conseguia distinguir o que era legítimo e o que era ilegítimo em minhas posses.

De qualquer modo, achei injusto ter de restituir sozinho o que havia surrupiado com a participação de outros, beneficiando muito mais a eles do que a mim. Fiz o que pude. Movi mundos e fundos. Cavouquei amparo por todos os lados e, ao final do enredo, a única benesse que consegui foi uma pequena diminuição do valor a ser restituído à prefeitura. O dinheiro acabou saindo mesmo de minha conta pessoal.

Para piorar, nos últimos anos, por causa da inteira dedicação ao cargo de prefeito, eu havia me descuidado dos negócios. Com a pouca rentabilidade que vinha obtendo e tendo de desembolsar os recursos à prefeitura, andei espremido feito gado magro em época de estiagem. Irritei-me com o pouco-caso dos correligionários. Arreliei-me com o descaso emprestado aos meus infortúnios.

– Se recorreram a mim para ajudar outras pessoas, por que não recorrem a outros para me ajudar? – cobrei raivoso.

Para irritar ainda mais, os sujeitos jamais diziam não. Nunca falavam abertamente que não iriam ajudar; que era melhor eu esquecer aquilo, cuidar pessoalmente da solução. E sobravam conversas oblíquas, promessas vazias, do modo como a maioria dos políticos profissionais faz como ninguém:

– Vamos ver o que pode ser feito.

– Estamos articulando um plano para ampará-lo.

– Fique sossegado.

– É só uma questão de tempo.

Mas o tempo se passou, a corda apertou em torno do meu pescoço e acabei aquiescendo. Apesar de me sentir injustiçado, honrei o acordo, e o incêndio foi apagado sem se alastrar demais. Foi o meio que encontrei para não ser utilizado como bode expiatório, para não ser exposto ao mundo como réu exclusivo de um crime coletivo. Amargurei grande prejuízo financeiro com o episódio, mas, de positivo, perdi o pouco de ingenuidade que ainda possuía.

Capítulo 15

IMPERTINÊNCIA

O homem que procura, nos excessos de todo gênero, um refinamento dos prazeres, coloca-se abaixo do animal, porque o animal sabe se deter na satisfação da necessidade. Ele abdica da razão que Deus lhe deu por guia e, quanto maiores seus excessos, mais dá à natureza animal império sobre sua natureza espiritual. As doenças, as enfermidades, a própria morte, que são as consequências dos abusos, ao mesmo tempo são punição à transgressão da lei de Deus.

O Livro dos Espíritos – Questão 714 – Boa Nova Editora

Sem cargo público para exercer, dediquei os próximos anos da vida aos meus próprios negócios. Andava tudo desarranjado, a exigir pulso firme. Foi uma época aziaga, em que tive de sacrificar algumas amizades para minimizar os prejuízos. Fazer o quê? Aprendi com o meu pai que há momentos na vida em que os anéis são mais importantes que os dedos.

Por conta dos contratempos, voltei às carraspanas, e minha saúde tornou a dar sinal de fraqueza. Alguma coisa dentro de minha caixa torácica não ia muito bem. A dor aguda que eu sentia no peito me obrigava a diminuir o ritmo, aquietar-me por uns dias, e depois desaparecia tão subitamente quanto aparecera. E eu retornava aos excessos.

De vez em quando avistava o meu primo na rua e recebia um baque. A cada dia que se passava, eu me sentia mais incomodado com a presença dele, depois daquilo que considerei como dupla traição. E, quando me lembrava da visita sorrateira que havia feito a Suzana naquela manhã que se distanciava no tempo, eu me entristecia. Recordava-me dos olhos dela banhados de lágrimas e voltava a me perguntar o que representaria aquilo.

Fabiano estava ocupando um cargo importante na prefeitura. Sobressaíra-se como articulador político e se tornara um dos homens de confiança do Olegário. Na verdade, estava sendo preparado para competir comigo nas eleições futuras. Nós dois possuíamos o mesmo sobrenome, e isso contava positivamente para o partido da oposição.

– Fabiano é a banda boa da família Borges – diriam meus adversários em seus comícios, imputando a mim o lado podre do clã.

Eu sabia que Suzana e Olegário haviam acolhido o Fabiano com o intuito de me desfeitear. Cada um, por sua razão, sentia prazer naquilo. Ao pensar nisso, eu me sentia tremendamente incomodado, mas não podia fazer nada. O jeito era deixar os dias correrem e acreditar que o tempo trataria de remediar a situação. Quem sabe? "O que não pode ser remediado...", consolava-me o velho bordão do Conselheiro.

Um dia, eu estava saindo de uma agência bancária, onde fora resolver desgastantes assuntos relativos às minhas finanças, quando me deparei com Suzana passando pela calçada. Ela estava linda! Usava um vestido vermelho bem ajustado ao corpo, os cabelos negros serpenteando ao vento, e aquele rosto perfeito, que não perdera nenhum traço de beleza com o passar dos anos.

Suzana baixou os olhos ao passar por mim, fingindo não me ter visto. Inicialmente, apesar do impacto, deixei-a seguir, também fazendo parecer não tê-la notado. Mas o meu coração começou a dar coices no peito e minhas pernas ficaram trêmulas, como se eu houvesse levado um grande susto ou feito um esforço sobre-humano.

Não consegui me conter. Parecia que algo me impulsionava em direção a ela. Dei meia-volta e apertei o passo. Quando estava a poucos metros de alcançá-la, chamei-a com voz insegura:

– Suzana! Suzana!

Ela não ouviu ou fingiu não ter ouvido. A verdade é que seguiu em frente, sem qualquer alteração de sentido. Acelerei ainda mais o passo. Alcancei-a e a segurei pelo cotovelo.

– Suzana...

Sem olhar para trás, ela se desvencilhou e continuou sua marcha. Parei por um segundo. Sentia-me mal. Não sabia exatamente por que fazia aquilo. Meu coração batia em ritmo acelerado. Minha cabeça estava confusa.

Devia desistir? Deixar para lá? Mas agora havia outro problema: Suzana podia julgar mal a minha atitude e complicar-me a vida. Ela havia feito essa ameaça naquela manhã que eu invadira a sua casa.

Pensei que seria melhor esclarecer aquilo. Alcançá-la e conversar de modo civilizado. Pedir desculpas... Voltei a segui-la, agora praticamente correndo em direção a ela. Dessa vez não a chamei. Agarrei-a fortemente pelo braço. Por que fazia aquilo? Eu não sabia... Não conseguia raciocinar direito. Apenas agia impulsivamente.

– Por favor, Suzana, fale comigo – implorei.

Ela se voltou. Olhou-me com raiva.

– Solte o meu braço... agora!

Assustei-me com aquele olhar furioso. Ameacei soltar, mas percebi que ela iria fugir. Então comecei a ficar irritado também. Quem ela pensava que era para me tratar daquele jeito? Forcei um pouco mais o aperto da mão.

– Só solto depois que você falar comigo.

Ela começou a movimentar o braço, girando-o alternadamente para a direita e para a esquerda, enquanto dizia com a voz opressa:

– Não tenho nada para falar contigo, Valentim. Ou você me solta ou eu começo a gritar.

Aceitei o desafio.

– Está bem, Suzana! Então grite! Vamos, grite bem alto.

Ela olhou em volta, porém não gritou. Havia pouca gente no entorno, mas ainda assim algumas pessoas nos observavam curiosas. Suzana deu um tranco e por fim conseguiu se libertar da minha mão.

– Que diabos você quer comigo?

– Apenas conversar... Caramba, Suzana, não precisamos ser inimigos...

Ela abriu a boca para dizer qualquer coisa, mas calou-se e baixou os olhos. Achei que havia anuído; que estivesse abalada com a minha presença; que fosse declarar algo importante... Mas não era nada disso. Algo bem mais grave estava por acontecer.

– Por que não conversa comigo? – perguntou uma voz grave e irritada às minhas costas.

Era o Fabiano que chegava esbaforido. Voltei-me surpreso e fui atingido por um soco violento no rosto. Antes de me recompor do ataque inesperado, mais dois golpes me acertaram em cheio no estômago, provocando uma dor insuportável. Minhas pernas fraquejaram, as vistas escureceram, e eu não consegui me manter de pé. Ao cair, bati a cabeça no meio-fio, ficando ainda mais zonzo. Senti um líquido morno escorrendo pelo nariz, invadindo-me o canto da boca. Era sangue.

Um pequeno círculo de curiosos foi se formando, enquanto Fabiano continuava a me agredir, ajoelhado sobre o meu ventre.

– Então você gosta de perseguir a mulher dos outros, não é? Vou lhe ensinar a respeitar mulheres casadas, seu patife! – E voltou a me socar como bem quis. Eu estava zonzo demais para, pelo menos, esboçar uma reação.

A intervenção de um policial pôs fim à contenda, mas ele precisou fazer um esforço imenso para controlar o Fabiano, que, mesmo sendo arrastado, ainda me acertou uns chutes.

Levantei-me com dificuldade, meio encurvado pelas dores. Muitas pessoas riam com deboche, outras vaiavam o policial por ter interrompido a agressão. Fabiano se afastou levando Suzana, mas, antes que ela se distanciasse, seus olhos cruzaram com os meus e estavam novamente lacrimejantes, exibindo aquela aura misteriosa que eu já vira antes.

Mesmo ferido, humilhado e com muito ódio do meu agressor, não consegui deixar de me perguntar pela milésima vez o que aquilo representaria. Seria apenas mágoa? Ou haveria algo mais profundo por trás daquele discreto e silencioso pranto?

O acontecimento gerou um escândalo. Não pela briga em si, coisa corriqueira em qualquer cidade, mas pela importância do sobrenome dos protagonistas. Houve quem levasse a desinteligência para o lado político, mas algumas pessoas mais atentas, principalmente as que ouviram as palavras do Fabiano enquanto ele me agredia, perceberam que o confronto tinha motivação passional.

Elma levou um susto quando me viu chegar em casa naquelas condições. Por sorte, as crianças estavam na escola. Além de estar encurvado pela dor que ainda persistia em meu abdômen, meu rosto e meus braços estavam esfolados e sangravam em alguns pontos. O sangramento do nariz havia estancado, mas carimbara-me o buço com duas linhas paralelas de sangue coagulado.

– Mas o que é isso, meu Deus? – gritou Elma, levando as mãos ao peito.

Sem querer, ela própria me arranjou um álibi:

– Você sofreu um acidente?

Adotei a desculpa, já que não me sentia encorajado a contar a verdade.

– Sim. Fui atropelado por um motociclista ao atravessar a rua – eu disse contrariado.

– Meu Deus! Precisamos ir ao hospital. Você pode ter sofrido alguma fratura...

Ergui a mão com dificuldade e falei o mais alto que pude:

– Não há fratura alguma, Elma. Eu vim dirigindo até aqui e não senti nada. Vou tomar um banho e, se você puder, apenas arranje um medicamento e gaze para os curativos – eu disse com rispidez, logo completando: – Mas, se for sacrifício demais, pode deixar que eu mesmo faço isso.

– Está bem – ela respondeu com o mesmo tom mal-humorado. – E mantenha a porta do banheiro destrancada, para o caso de sofrer uma convulsão.

Respondi com um palavrão, mas segui o conselho dela.

Capítulo 16

RIVALIDADE

O homem, frequentemente, não é infeliz senão pela importância que liga às coisas deste mundo. É a vaidade, a ambição e a cupidez frustradas que fazem sua infelicidade. Se ele se coloca acima do círculo estreito da vida material; se eleva seus pensamentos até o infinito, que é a sua destinação, as vicissitudes da Humanidade lhe parecem, então, mesquinhas e pueris, como as tristezas de uma criança que se aflige com a perda de um brinquedo que representava a sua felicidade suprema.

O Livro dos Espíritos – Questão 933 – Boa Nova Editora

Enquanto me banhava, sentindo os ardores das escoriações em minha pele, eu tentava inutilmente organizar os pensamentos. Ainda estava procurando entender por que me deixara levar pelo ímpeto inconsequente de seguir Suzana. Por que me comportava feito um idiota sempre que a via? E... Por que ela estava sempre com os olhos lacrimejantes e tristes quando me encarava? Será que ainda me amava? Cultivaria, por trás daquelas atitudes agressivas, algum sentimento positivo em relação a mim?

Essas perguntas ficavam ecoando em minha mente e não encontravam subsídios que as confirmassem ou negassem. E possuíam a mesma incômoda e dolorosa função de um cisco incrustado no olho, desses que a gente sabe que está lá, sente a irritação, mas não consegue localizar, por mais que cutuque.

Outra lembrança que me perturbava terrivelmente eram as cenas da agressão sofrida em plena via pública. Ainda que tentasse esquecer, elas ficavam se repetindo em minha mente, recriando aquele momento constrangedor. Com isso, a raiva que eu sentia pelo Fabiano intensificava-se, ganhava proporções alarmantes.

As imagens desfilavam em meu campo mental, mostrando-me Fabiano aos beijos com Suzana, ou comemorando com a trupe do Olegário a surra que me dera. Nessas cenas, eu o via gargalhando, dizendo indecências a meu respeito, rindo e fazendo rirem a Suzana, o Olegário e todos os eleitores que deixaram de votar em mim na última eleição.

Era provável que nada daquilo estivesse acontecendo de fato, mas eu não conseguia deixar de projetar tais imagens em meu pensamento. De um modo negativo, Fabiano ganhava importância em minha vida, e o desejo de me vingar do meu primo começou a alinhavar perigosos contornos.

Dois dias depois da agressão sofrida, Elma me procurou dizendo que precisávamos ter uma conversa muito séria. Eu ainda me encontrava dolorido e jururu demais por causa do acontecido. Somando a isso o fato de andar emburrado com o pessoal do partido por causa do rombo que tivera de restituir sozinho aos cofres públicos, eu havia hibernado em casa, e a dificuldade agora era para manter uma rotina pacífica ao lado de minha esposa. Nós discutíamos o tempo todo, por qualquer bobagem, e depois fechávamos a cara um para o outro.

Vendo o semblante tenso de Elma ao dizer que precisávamos conversar seriamente, tentei adiar o entrevero, mas não houve jeito. Ela estava determinada demais, e eu sabia o que representava a determinação de minha esposa.

– Quero que me conte exatamente o que aconteceu no dia em que você voltou para casa todo machucado.

Minimizei a ocorrência.

– Não foi nada grave. Eu já lhe disse o que aconteceu.

– Sim. Falou que foi atropelado por um motociclista. Isso realmente você já disse, mas eu sei que não foi nada disso, Valentim. Já me contaram toda a verdade, mas eu quero ouvi-la da sua boca.

Suspirei fundo. Só me faltava aquela inquirição desgastante em momento tão inoportuno. Eu estava há horas me ocupando de uns cálculos complicados referentes aos últimos investimentos. Contabilizava prejuízos nas contas e já estava suficientemente irritado por causa disso.

– Está bem. Eu não quis contar a verdade para não preocupá-la. Achei que não valia a pena entrar em detalhes... – eu disse sem dar muita atenção à conversa.

Elma apoiou as duas mãos na cintura e ficou esperando que eu prosseguisse. Como eu permanecesse mudo, ela perguntou com impaciência:

– Que detalhes?

– Bem... Aconteceu um desentendimento entre mim e o Fabiano. Foi apenas isto.

– Então você admite que houve uma briga entre você e o seu primo?

– Olha, nem dá para dizer que aquilo foi uma briga. O Fabiano me pegou de surpresa, por trás, e não me deu a menor chance de defesa... Se a pessoa que lhe contou viu o entrevero desde o início, deve ter notado que as coisas aconteceram assim.

– E qual foi o motivo da agressão?

Impacientei-me. Não estava acostumado a dar satisfações da minha vida a ninguém; nem mesmo a Elma. E ela estava fazendo perguntas demais para o meu gosto.

– Isto não vem ao caso! É problema meu e do Fabiano – gritei.

Ela pareceu não se abalar com o grito. Olhou-me de um modo que sugeria serenidade e disse:

– Valentim, eu quero me divorciar de você.

A frase soou completamente descabida, e eu pensei não ter ouvido direito.

– Você quer o quê?

Ela continuou plácida.

– Divorciar-me! Não quero mais viver com um marido que mente para a esposa de forma tão descarada.

– Foi uma mentira sem importância, Elma. Que diferença faz se foi um atropelamento ou uma agressão? – ponderei.

– O motivo da agressão é que faz a diferença, seu mentiroso! Por que não diz logo a verdade?

Abandonei a calculadora com a qual vinha duelando. Olhei com impaciência para a Elma e cruzei os braços.

– Está bem. Já que você faz tanta questão de saber os pormenores, eu vou lhe contar. Brigamos por questões políticas. Todo mundo nesta cidade sabe que o Fabiano me traiu, que se bandeou para o lado do Olegário e que está trabalhando com ele na prefeitura.

Ela perdeu o ar sereno. Lançou um olhar fulminante em minha direção e gritou:

– Chega de mentira, Valentim! Muita gente testemunhou a briga de vocês e, pelo que me disseram, o Fabiano estava coberto de razão. Você estava assediando a mulher dele. Foi por isso que ele o agrediu.

Tentei desviar os olhos, mas ela não permitiu. Aproximou-se, prendeu o meu rosto com as duas mãos, encarou-me com raiva e disse:

– Diga que é mentira. Eu quero ver se você tem coragem de negar na minha cara o que fez naquele dia. Vamos! Negue, se for capaz.

Permaneci mudo e imóvel. Elma começou a pressionar as mãos contra a minha face, como se pretendesse espremê-la para arrancar à força a resposta esperada. Com dificuldade, consegui me livrar daquele aperto. Muitas partes do meu corpo ainda doíam. Parecia que de repente todo mundo resolvera me espancar.

– Houve um equívoco... Foi só isso... – eu disse, dando-lhe as costas e tentando voltar à contabilidade.

Elma pegou a calculadora com veemência e a atirou no chão, despedaçando-a. Assustei-me, pois nunca a vira daquele jeito. Seus olhos projetavam uma energia odiosa. Ela parecia ensandecida:

– Não houve equívoco algum, Valentim. Não me faça de idiota! Quem me contou o que houve naquele dia merece todo o meu respeito e confiança. Ele viu quando você, por duas vezes, perseguiu e segurou o braço da esposa do Fabiano, antes que seu primo o atacasse. Ouviu também quando o Fabiano disse que iria ensiná-lo a respeitar a mulher dos outros...

– Fofocas... Mexericos de quem quer me prejudicar... Intrigas de opositores... – ainda tentei argumentar com voz miúda, mas sabia que estava queimando os últimos cartuchos.

– Não, Valentim. A pessoa que me contou não tem motivo algum para prejudicar você.

– Será que não tem mesmo?

Ela fechou o punho e o aproximou do meu rosto. Por um segundo achei que fosse me socar, mas não o fez. Suas mãos estavam trêmulas.

– Foi o meu pai, Valentim!

A revelação me pegou de surpresa.

– O quê? O Aurélio? Mas ele nem estava lá...

– Isso é o que você pensa. Ele não só estava lá, como viu tudo o que aconteceu. Meu pai o tinha visto à porta do banco e estava indo cumprimentá-lo, quando você começou a perseguir a moça de vestido vermelho. Então ele recuou e ficou observando a sua atitude. Meu pai acompanhou tudo. Viu quando você a segurou pelo braço. Ela tentou se desvencilhar, mas você ficou insistindo em assediá-la e só a deixou em paz depois que o Fabiano chegou e começou a espancá-lo.

Fiquei arrasado. Por aquela eu realmente não esperava. Cheguei a sentir vergonha ao saber que minha atitude tresloucada fora acompanhada de perto pelo meu sogro. Aurélio era um homem sério, respeitado por sua integridade moral.

Elma prosseguiu:

– Para provar que meu pai não tem nada contra você, Valentim, quando eu falei em separação, ele até tentou defendê-lo, dizendo para eu perdoar, para levar em conta o fato de você ser um bom marido. Mas eu disse a ele que esse argumento não servia, porque, na verdade, você nunca foi um bom marido. Que todos aqueles carinhos e declarações que me faz em público são fingimentos, hipocrisias, inverdades...

Ainda tentei conciliar, inventar alguma desculpa, mas não houve jeito. Pressionado, acabei contando toda a verdade a respeito de Suzana, e isso deixou Elma ainda mais indignada.

– Quer dizer que na época do nosso casamento você já era apaixonado pela atual esposa do seu primo e até hoje não conseguiu esquecê-la? Que só não se casou com ela por se tratar de uma pobretona? Que se casou comigo apenas por conveniência? Por eu ser filha de um homem bem-sucedido?

– Não é bem assim, Elma. Casei também porque vi muitas qualidades em você.

– Poupe-me, Valentim! Você vê tantas qualidades em mim que, quando se depara com essa tal Suzana, sai correndo atrás dela feito um louco. Na verdade, você viu em mim um objeto útil para a sua ascensão política...

– Esquece isso, Elma! A Suzana é coisa do passado...

– Do passado? Só se for de um passado muito recente, não é, doutor Valentim? As marcas da surra que o marido dela merecidamente lhe deu ainda estão em seu corpo – ela disse com um escárnio tão contundente que me fez tremer de ódio. – Aliás, o Fabiano provou que, além de mais forte, é um homem bem mais digno do que você. Por isso, eu vou deixá-lo. Não quero mais ser sua esposa. Vou com os meninos para a casa que meu pai tem aqui na cidade. Depois do divórcio, resolvemos a situação de modo definitivo.

Mais um ponto negativo para o Fabiano. Por causa dele, eu acabara me tornando motivo de chacota dentro de minha própria casa e via minha vida familiar desmoronar-se de vez.

Eu sabia que as palavras ferinas de Elma estavam carregadas de despeito e orgulho ferido, mas, ainda assim, a comparação negativa que fez entre mim e o meu primo foi a gota d'água que faltava para me convencer, de uma vez por todas, de que aquela cidade se tornara pequena demais para os dois. Um de nós deveria desocupar o lugar e, definitivamente, não seria eu.

Ergui-me num salto, apesar das dores que se distribuíam pelo corpo. Olhei com raiva para a minha esposa e decretei:

– Está bem, Elma! Você quer se separar? Ótimo! Desapareça da minha vida de uma vez e nunca mais volte! As suas brigas, o seu mau humor e as suas queixas intermináveis não me farão falta alguma.

Disse isso e saí para a rua apressadamente. Não queria dar a ela a menor chance de revidar.

Capítulo 17

CLARIVIDÊNCIA

Evitai escutar as sugestões dos Espíritos que suscitam em vós os maus pensamentos, sopram a discórdia entre vós e vos excitam todas as más paixões. Desconfiai, sobretudo, daqueles que exaltam vosso orgulho porque vos tomam por vossa fraqueza. Eis por que Jesus nos faz dizer na oração dominical: "Senhor! Não nos deixeis sucumbir à tentação, mas livrai-nos do mal".

O Livro dos Espíritos – Questão 469 – Boa Nova Editora

Fiquei zanzando pela cidade, sem estacionar meu carro em parte alguma. Na verdade, eu não tinha para onde ir. Estava afastado das atividades do partido e ainda não me sentia à vontade para me expor em público depois da agressão sofrida recentemente. Temia ser humilhado por algum eleitor insatisfeito com o meu último mandato. Voltar para casa? Nem pensar! Só de imaginar os gritos irritantes da Elma em meus ouvidos, eu já me sentia incomodado.

Dentre os bens que herdara de meu pai havia uma pequena propriedade rural que eu não visitava havia anos. Tratava-se de um sítio onde se cultivavam frutas, legumes e verduras, com a produção quase toda revertida para o sustento dos próprios caseiros. Senti vontade de me isolar no sítio e me dirigi para lá.

O caseiro Targino me recebeu com visível constrangimento. Era um homenzinho sexagenário e que, ao contrário da esposa tímida e introvertida, falava pelos cotovelos. Antes mesmo que eu descesse do veículo, já foi argumentando:

– Doutor Valentim, por que não avisou que viria? A casa não está preparada pra lhe receber. Se o senhor tivesse avisado, a gente ia dar uma caprichada em tudo aqui.

Eu continuava de mau humor e não respondi com muita simpatia:

– Mas que diabos, Targino! Então eu preciso fazer reserva para me hospedar em minha própria casa?

O homem coçou a barba branca.

– Bom... É que houve um problema, patrão. No último temporal que caiu, a casa em que eu e a Berê morávamos foi destelhada pelo vento. Então a gente se mudou pra casa maior, até poder reformar a nossa.

– E por que você já não consertou o telhado da casa de vocês?

– Falta de dinheiro, doutor Valentim. As coisas estão difíceis. O excesso de chuva prejudicou a colheita e não deu pra arranjar dinheiro com a venda das frutas e das hortaliças na feirinha rural. A safra ficou muito minguada este ano.

– E por que não me procurou?

– Desculpe discordar do senhor, mas eu procurei,

sim. Fui atrás um monte de vezes, mas o senhor estava sempre ocupado.

Lembrei-me de ter recebido uns recados de que ele precisava me falar, mas na ocasião eu andava irritado e ocupado demais tentando resolver o problema do dinheiro extraviado da prefeitura e não o recebera.

– Nesse caso, mande a sua mulher preparar o meu quarto. Não me importo que ocupem o resto da casa, desde que não me perturbem. Até porque eu não pretendo ficar muito tempo por aqui.

Targino aquiesceu, respeitoso, e foi passar as orientações para a esposa Berenice.

Dirigi-me à varanda da casa, deitei-me numa das redes ali instaladas e fiquei observando o pôr do sol. Enquanto olhava, aquela profusão de imagens voltava a se formar em minha mente, reprisando o momento em que o Fabiano me agredia sem piedade alguma. Recordava-me das risadas de deboche das pessoas que nos cercavam e das palavras ferinas de Elma dizendo que meu primo era mais digno do que eu. A ideia de matá-lo crescia e ganhava sólidos contornos em meus pensamentos.

Planos de assassiná-lo sem levantar suspeitas começaram a se delinear. Rechacei de imediato a ideia de contratar alguém para a empreitada. Eu poderia ficar refém do executor, que teria um poderoso trunfo nas mãos, caso resolvesse me chantagear mais tarde. Eu teria de fazer aquilo sozinho.

O cansaço me venceu e, com a mente ainda enovelada no sinistro projeto, peguei no sono. Quando acordei, deparei com uma menina de uns doze anos de idade, que me encarava com os olhos esbugalhados. Ela estava tão próxima da rede, que eu podia sentir a sua respiração em meu rosto. Levei um susto e, quando me ergui abruptamente, a garota correu para o interior da casa.

Targino apareceu a seguir e perguntou se eu estava precisando de alguma coisa.

– Na verdade, estou sim. Por acaso, você tem uísque aí?

O caseiro riu, expondo os dentes maltratados.

– Tem nada não, doutor! Quem dera! Mas, se o senhor quiser, eu posso montar a cavalo e ir comprar.

Eu estava arrependido de não ter levado nenhuma bebida comigo. Havia me habituado a beber praticamente todos os dias.

– Está tarde, Targino. Até você chegar à cidade, o comércio já terá fechado. Esquece – sentenciei mal-humorado.

– A Berê preparou uma janta caprichada pro senhor – ele enfatizou, como se me oferecesse uma recompensa pela falta do uísque.

– Está bem. Obrigado!

– De nada, patrão!

– Targino, quem é uma menina que estava há pouco aqui na varanda? – perguntei ainda intrigado com aquela presença.

O caseiro deu um tabefe na própria testa.

– Ai, meu Deus! Ela veio perturbar o senhor? Dei ordens pra ficar longe...

– Quem é ela?

– Desculpe, doutor Valentim! Eu deveria ter lhe contado. A Marina é minha neta, filha do meu filho mais velho. O pai dela sofreu um acidente e está afastado do trabalho. A mãe precisou arrumar um emprego temporário e pediu pra que eu e a Berê ficássemos com ela até as coisas se ajeitarem por lá. Mas pode ficar sossegado que eu vou dar um corretivo nela, doutor, e ela não vai lhe perturbar mais.

Dei de ombros e o despedi com um aceno de mão.

Mais tarde, enquanto jantava, reparei que Marina, ajudando a avó nos afazeres domésticos, de vez em quando lançava uns olhares furtivos em minha direção. Quando eu retribuía, ela se esquivava, disfarçando. A situação se repetiu diversas vezes e me deixou inquieto.

Depois do jantar, pedi que Berenice me preparasse um café e voltei a me deitar na rede da varanda. Era uma noite estrelada, de lua cheia. Eu estava com os pensamentos fervilhando, focados no desejo de vingança contra o Fabiano, quando a neta do caseiro se aproximou com uma bandeja.

– Seu café, doutor Valentim.

Eu me ergui para pegar a xícara e percebi que a menina continuava a me olhar daquele jeito estranho. Não resisti à curiosidade e perguntei:

– Marina? É este o seu nome, não é?

Ela confirmou com um meneio de cabeça.

– Por que você fica me olhando desse jeito?

Ela baixou a cabeça, emudecida. Encorajei-a com voz branda e um sorriso meio forçado:

– Pode falar. Eu não vou brigar com você por causa disso.

E aí veio a resposta que me deixou arrepiado:

– Não é para o senhor que eu fico olhando. É para essas pessoas ruins que ficam lhe cercando.

– Pessoas ruins? Mas não há ninguém perto de mim...

– Não é gente viva, não. É tudo gente morta.

Arregalei os olhos e os circundei pelo ambiente.

– E como é que você consegue ver esse povo e eu não?

– Não sei. Mas eles ficam falando coisas feias para o senhor. Às vezes falam alto demais e eu consigo ouvir.

– E o que foi que eles falaram e você ouviu?

– Que é para matar o homem que bateu no senhor; um primo seu.

A menina disse isso e voltou correndo para o interior da casa, pois acabara de ouvir os passos do avô. Eu estava ainda chocado com o que acabara de escutar, quando Targino se aproximou.

– A Marina estava perturbando de novo, patrão? Ó menina teimosa, meu Deus do céu!

– Ela não estava perturbando – respondi enfático. – Apenas respondeu a umas perguntas que lhe fiz.

Notando o meu semblante tenso, Targino deve ter deduzido o que poderia ser e tratou de me sossegar:

– Doutor Valentim, a minha neta é meio zureta, sabe?

Às vezes ela fala umas coisas sem pé nem cabeça. Tomara que ela não tenha deixado o senhor arreliado com nenhuma conversa atravessada...

– Por exemplo...? – perguntei.

– Sobre estar vendo gente morta e coisa assim. A minha nora e o meu filho andam frequentando um centro espírita. Dizem que descobriram lá nesse tal lugar que a Marina é médium e que consegue ver Espíritos.

– E o que você acha disso?

– Acho que é uma bobagem. Penso que ela fica dizendo essas coisas só pra chamar a atenção, e até entendo, afinal ela é apenas uma criança. Eu não me conformo é com os pais dela, que ficam incentivando essas coisas absurdas.

Não pude deixar de me lembrar da história do Laurindo, avô de minha mãe que, assim como Marina, se dizia médium. Seria mesmo possível? Afinal, o que a menina disse ter ouvido dos tais Espíritos fazia sentido. A intenção de matar Fabiano era tão forte que às vezes dava mesmo a impressão de estar sendo sugestionada por vozes inaudíveis, mas perfeitamente consistentes e perceptíveis em meu campo mental.

Fiquei na varanda por mais uma hora, ouvindo a lenga-lenga do Targino sobre a escassez da safra, os estragos causados pela chuvarada que caíra no último mês, o reumatismo que andava entortando as juntas da Berenice, a carestia dos remédios cujos preços aumentavam a cada compra...

Ouvi, mas confesso que não absorvi praticamente nada do que ele disse. Estava confuso demais com o que ouvira de Marina, para dar atenção aos infortúnios de um pobre-diabo tão insosso. Mas, para tranquilizá-lo, mandei que me procurasse na próxima semana, para tratarmos da reforma da casa destelhada pelo temporal.

Quando senti os primeiros indícios de sonolência, levantei-me. O caseiro voltou a se desculpar pelo procedimento da neta, e eu disse, enquanto seguia para o meu quarto:

– Está tudo bem, Targino! Independentemente de ser verídico ou devaneio da menina, ela não me assustou nem um pouco. Até amanhã!

– Boa noite, patrão! Tenha um bom sono.

Apesar de me mostrar indiferente, fui dormir apreensivo e mantive a lâmpada do abajur acesa a noite toda. Ainda assim, tive pesadelos terríveis nos quais me via envolvido numa grande confusão, em meio à qual pessoas estranhas e mal-encaradas se misturavam a outras de semblantes conhecidos, como o Fabiano e o Olegário.

Foi uma noite horrível. Mas, de manhã, aos primeiros laivos de ódio que me retomaram o pensamento, esqueci tudo aquilo e firmei o propósito de dar cabo da vida do Fabiano. Era uma questão de honra.

Fui à cidade, comprei um bom estoque de uísque, apanhei um revólver que herdara de meu pai, e que ficava escondido no escritório, e voltei ao sítio, onde passei dois dias arquitetando o projeto. Não entrei em minha residência nem soube se Elma estava por lá ou se havia ido para a casa do meu sogro, como prometera. No momento, eu tinha coisas bem mais importantes com que me ocupar.

Targino seguiu me cercando de excessivos cuidados; Berenice procurava me agradar com o tempero gostoso de sua comida; e Marina desaparecera. Depois fiquei sabendo que pedira ao avô para levá-la de volta à casa dos pais, dizendo que eu era um homem mau e que tinha medo de mim.

Capítulo 18

TOCAIA

Quando os homens forem melhores e mais avançados em moral, eles compreenderão que o verdadeiro ponto de honra está acima das paixões terrestres, e que não é matando, ou se fazendo matar, que se repara um erro.

O Livro dos Espíritos – Questão 759 – Boa Nova Editora

Eu sabia que todas as sextas-feiras, à tarde, o Fabiano ia visitar os pais. A estrada para o sítio da família dele, próximo à propriedade, era muito precária e de difícil acesso para carros em época de temporais como aquela. Por isso, ele fazia o percurso de motocicleta e geralmente ia sozinho.

Na parte boa da estrada, onde dava para chegar de carro, havia uma porteira divisando duas fazendas e, para abri-la, era necessário apear da moto. Eu já havia sondado o lugar e reparara numa moita de capim, alta e bastante espessa, próximo à porteira. Achei que era um esconderijo perfeito para montar uma tocaia.

Na sexta-feira, dirigi-me para o local logo após o almoço, escondi o meu carro atrás de um barranco, enfiei-me entre o capinzal e fiquei esperando a aproximação de minha vítima. O lugar era extremamente deserto. Nas duas horas que fiquei ali, não passou um vivente sequer pela estrada, e o único barulho que dava para ouvir era o som do vento a farfalhar o capim, além da algazarra de um batalhão de pássaros que sobrevoava os campos, pousando aqui e ali, à cata de insetos.

Minha arma estava carregada. Em meu peito, uma mistura de insegurança e ansiedade se mesclavam, deixando-me ora pesaroso, ora entusiasmado com o que estava prestes a fazer. Para manter aceso o desejo de vingança, eu ficava rememorando a surra que levara do Fabiano e a humilhação das palavras de Elma: "O Fabiano provou que, além de mais forte, é um homem bem mais digno do que você".

Naturalmente havia outras razões para dar cabo da vida dele. As duas traições que me fizera ainda me incomodavam tremendamente. Por causa dele, o Olegário estava no poder, e Suzana, apesar de provavelmente ainda me amar, jamais me daria uma nova oportunidade de aproximação.

Eu estava entregue a esses pensamentos quando ouvi o ruído da motocicleta. Meu coração se sobressaltou. Logo após, Fabiano despontou na curva, a uns cinquenta metros da porteira. Para minha satisfação, ele estava sozinho. Peguei a arma e fiquei preparado para atirar.

Meu primo parou a moto perto da porteira e desceu para abri-la. Estava a poucos metros de mim e ficou de costas para destrancá-la. Era o momento mais propício para concluir o plano sem a menor possibilidade de falhar.

Minhas mãos estavam trêmulas, mas eu precisava atirar. Meu coração dava socos violentos dentro do peito. Eu sentia uma pulsação muito forte no pescoço, nas têmporas, no estômago...

Firmei o dedo no gatilho e, quando ia puxá-lo, fui afetado por uma fisgada violenta no peito. Tive uma náusea fortíssima e não consegui conter um grito agônico de dor, enquanto me esborrachava no meio do capinzal, promovendo grande estardalhaço.

Antes que minha vista escurecesse completamente e meus sentidos se apagassem de vez, vi quando meu primo se aproximou e exclamou com a voz trêmula de espanto:

– Mas que diabos é isso, meu Deus do céu!

Acordei num ambiente estranho. Estava cercado por uma equipe médica. Ouvia ruídos de aparelhos hospitalares, e um forte cheiro de éter me impregnava o olfato.

Só bem mais tarde fui saber que havia sofrido um infarto e que fora socorrido por um homem que não se identificara na recepção do hospital. Quem me deu a notícia foi Elma. Eu estava internado há dezesseis horas, quando retomei os sentidos. Tudo estava muito confuso em minha mente.

Os médicos disseram que o meu caso era muito grave e que eu seria submetido a uma cirurgia com urgência, para desobstruir uma importante artéria.

Fui operado e fiquei quinze dias internado – período em que Elma não poupou esforços para cuidar de mim. Em nenhum momento fez queixas ou demonstrou má vontade. Também não se referiu à discussão que tivéramos dias antes, nem a qualquer outro assunto desagradável. Reparando em seu semblante aflito, percebi que ela estava sofrendo por minha causa e, sinceramente, não sei se essa constatação me fez bem ou mal.

Quando recebi alta e fui para casa, os meus filhos me receberam chorosos e me abraçaram demoradamente. Eles também estavam sofrendo por causa da minha doença.

Por recomendação médica, precisei ficar acamado e evitei receber visitas, principalmente de pessoas indesejáveis como os correligionários do partido, com os quais eu continuava emburrado.

Eu estava muito curioso para saber os pormenores do que havia acontecido a partir do momento em que desmaiara aos pés do homem que eu deveria ter assassinado. Mas havia um grande silêncio em torno daquilo. Elma me garantiu que não sabia de nada além do que eu também tinha conhecimento.

Ela não havia saído de casa, como ameaçara. Disse que estava esperando que eu reaparecesse para discutirmos o assunto da separação com mais calma.

– O Targino me contou que você estava no sítio e eu

achei que seria melhor esperar você dar as caras, para definirmos melhor a situação. Eu estava em casa quando, no início da noite de sexta-feira, recebi uma ligação do hospital dizendo que você havia sofrido um infarto e estava internado. Corri ao hospital e lá fui informada de que um homem o havia socorrido e que fora embora assim que você recebeu os primeiros atendimentos. Não faço a menor ideia de quem seja essa pessoa – ela me disse com visível sinceridade.

Alguns dias depois de minha alta, estando ainda acamado e bastante frágil, Elma me avisou que um inesperado visitante desejava me ver.

– O seu primo Fabiano está aí e disse que precisa falar com você. Tentei dispensá-lo, mas ele está irredutível. Disse que será uma conversa bem rápida.

Fiquei inseguro. O que ele pretenderia? Tive vontade de mandá-lo embora, mas por outro lado pensei que aquela era a única forma de saber o que havia realmente acontecido. Pedi a Elma que o mandasse entrar e que nos deixasse a sós.

Quando o Fabiano entrou em meu quarto, senti um tremendo mal-estar, mas ele estava com um semblante até agradável, levando-se em conta a gravidade do momento.

– E aí, primo! Dando susto na gente, é?

Forcei um sorriso.

– Já passou, Fabiano. Aliás, graças a você, não é? Não foi você que me socorreu?

Ele não disse nada. Apenas enfiou a mão num embornal de lona que trazia a tiracolo, pegou o meu revólver e o colocou sobre o criado-mudo.

– Acho que isto lhe pertence – disse muito sério e

respondeu à minha pergunta: – Sim, primo. Fui eu que o socorri. Quando você deu aquele grito e caiu de lado no meio do capinzal, quase que eu também enfartei de tanto susto. Por sorte, consegui localizar o seu carro e deu para socorrê-lo a tempo.

Ficamos mudos. Eu não sabia o que dizer, e ele também parecia não ter mais assunto. Então se levantou para ir embora, mas não chegou a girar a maçaneta da porta. Virou-se, voltou para perto de mim e disse:

– Olha, Valentim, eu sei que as coisas não estão muito pacificadas entre nós. Então eu quero lhe propor um acordo.

– Pois proponha – eu disse, fingindo um ânimo que não tinha.

Ele raspou a garganta.

– Aquela agressão lá no meio da rua foi uma atitude ruim de minha parte, mas você também tem feito coisas muito erradas comigo. Vive assediando a Suzana, e eu sei que chegou a invadir a nossa casa em minha ausência.

Encolhi-me constrangido, e ele prosseguiu com voz inalterada:

– Acho que a Suzana não iria falar nada sobre o que você fez, talvez para evitar uma briga entre nós, mas um vizinho testemunhou tudo e me contou. Pressionei minha mulher e ela acabou confirmando. Quando eu o agredi não foi só por causa daquele incidente na rua, não. Eu já sabia da sua ousadia anterior e estava atento a um possível novo ataque seu à Suzana. Sei que você me vê como um traidor, mas eu não me sinto assim. Estou vivendo com a mulher que você dispensou e, se estou trabalhando com o Olegário, é porque você não quis mais os meus serviços.

Onde está a traição aí, meu primo? Na verdade, você é que tem me traído pelas costas...

Cocei a cabeça, tentando encontrar alguma palavra para dizer, mas não encontrei nada. Ele continuou:

– O que aconteceu na estrada do sítio dos meus pais, por enquanto, está apenas entre nós dois. Eu poderia tê-lo denunciado e complicado a sua vida, mas não contei nada a ninguém. Prefiro acreditar que você estava de tocaia para caçar animais silvestres. Não ouso admitir o que me passou pela cabeça, primo, pois, apesar de tudo, ainda o considero um homem honrado demais para tramar uma ação tão covarde.

Ele chegou bem perto, agachou-se ao meu lado e me olhou nos olhos.

– A proposta que lhe faço é a seguinte, primo: vamos viver em paz! Você na sua e eu na minha. Não quero mais a sua amizade e você não vai contar com a minha consideração, mas nunca mais se meta com a Suzana, nem comigo. Se você aceitar a proposta, a gente coloca uma pedra em cima de tudo o que se passou até aqui e cada um toca a sua vida. Você topa?

Dei um suspiro profundo e não o deixei esperando muito tempo.

– Topo.

Foi a única coisa que eu disse. Ele saiu apressadamente. Ouvi quando se despediu de Elma com um "tchau", e nunca mais voltou a pisar em minha casa.

Capítulo 19

PASSAGEM

Que aquele que tem a vontade séria de se melhorar explore, pois, sua consciência, a fim de arrancar dela as más tendências, como arranca as más ervas do seu jardim; que faça o balanço de sua jornada moral, como o mercador faz de suas perdas e de seus lucros, e eu vos asseguro que a um lhe resultará mais que a outro. Se ele puder dizer que sua jornada foi boa, pode dormir em paz, e esperar sem receio o despertar de uma outra vida.

O Livro dos Espíritos – Questão 919– Boa Nova Editora

Aquele período de convalescença serviu para abrandar os meus instintos mais impulsivos. Com uma cicatriz imensa no abdômen e persistente dolorimento na perna, de onde os médicos me arrancaram um pedaço de artéria para implantar no peito, fiquei um longo tempo dependendo da boa vontade de minha esposa para tudo.

Elma me ajudava no banho, medicava-me, controlava a minha alimentação e me protegia dos sobressaltos e das pessoas inconvenientes que insistiam em me visitar. Muitas delas por simples curiosidade, sem ter sequer um assunto sério para tratar comigo. Isso promoveu uma reaproximação amigável entre nós, e a ideia do divórcio caiu no esquecimento.

Reaproximei-me também dos meus filhos e pela primeira vez percebi como eram distintas as suas personalidades. Augusto era ativo, extrovertido, falador. Netinho era sensível, inteligente e de poucas palavras. Enquanto o mais velho vivia apegado a mim, o caçula não se desgrudava da mãe. Além disso, adorava passear na fazenda do avô Aurélio, por quem demonstrava claríssima afeição.

Netinho adorava brincar com animais; desde os menorezinhos, como gatos e pintos, aos de grande porte, como bois e cavalos. Apesar de ser um garoto franzino e aparentemente frágil, ele não tinha medo nem dos imensos e assustadores touros, que eram usados como reprodutores na fazenda do Aurélio. Aproximava-se deles, acariciava-os e os tratava com extrema naturalidade, apesar das advertências para que tivesse cuidado.

Já Augusto seguia firme no propósito de aprender tudo sobre política. Vivia lendo, puxando conversa comigo sobre o assunto, pesquisando biografias de grandes estadistas... Eu tinha certeza de que ele haveria de seguir os meus passos, e isto me deixava realmente animado e orgulhoso.

Quando me recuperei completamente e voltei à ativa, estava mais amadurecido e comecei a ditar as minhas próprias regras junto aos correligionários. Algumas ideias eu consegui implantar com diplomacia, outras exigiram um pouco mais de pulso e entraram a golpes de marreta. Mas entraram!

A campanha eleitoral da próxima eleição foi uma dureza. Novamente houve desgastes terríveis, e eu cheguei a me preocupar com os sobressaltos do coração, agora ainda mais fragilizado pela intervenção cirúrgica.

Confesso que cheguei ao fim da campanha desanimado, achando que seria derrotado mais uma vez, porém, para grande surpresa de todos nós – inclusive do Olegário, que realmente havia apostado suas fichas no Fabiano –, fui aclamado vencedor com uma pequena parcela de votos a meu favor.

Voltei à prefeitura e também lá impus o meu novo modo de administrar, alicerçado agora pelas experiências adquiridas nas gestões anteriores e pela decepção auferida junto aos inconfiáveis parceiros. Cedi a algumas chantagens políticas, desviando algum recurso público para os cofres do partido, mas desta vez fiz as coisas do meu jeito, direcionando para o meu bolso o que achava justo.

E foi assim que acabei recuperando o prejuízo angariado no último mandato, quando tivera de restituir à prefeitura um dinheiro que não estava inteiramente em minhas mãos.

Era bom estar de volta ao poder, e eu jurei para mim mesmo que nunca mais perderia uma eleição. Por conta de uma lei aprovada recentemente no Congresso, agora os prefeitos poderiam se reeleger, e eu pretendia ficar oito anos no poder. Depois disso, o Augusto já estaria preparado para ser o meu substituto.

Foi exatamente o que fiz. Trapaceei de forma discreta, angariando as minhas vantagens, porém sem deixar de realizar algumas obras que pudessem servir de propaganda política quando chegasse o período eleitoral. Descobri que, para isso, não havia necessidade de grandes realizações. No fundo, o eleitor se contenta com muito pouco e é bem fácil ir mascarando a cidade com superficialidades.

O segredo está em fazer parecer que obras superficiais, como o capeamento das principais vias públicas, a limpeza e conservação de um parque infantil, a pintura das paredes de uma escola ou de um posto de saúde, são obras dispendiosas e relevantes para o município.

As pessoas começam a ver uma grande movimentação de homens e máquinas trabalhando, tudo isso acompanhado de uma quantidade considerável de *outdoors* e propagandas na imprensa exaltando todas aquelas "realizações", e dizem:

– Este prefeito é maravilhoso!

– Não podemos nos arriscar a eleger outro!

E, na hora de depositar o voto na urna, não há titubeios.

Além disso, descobri que as obras superficiais são um ótimo meio de se angariar recursos, superfaturando os seus custos. A empresa contratada para fazer os serviços leva a sua vantagem, e o contratante recebe um percentual por fora. Dificilmente alguém questiona esses valores, mas, quando isso acontece, dá-se um jeitinho de abafar as coisas. Descobri também que há poucos homens incorruptíveis no mundo. O que varia são os preços a que se vendem.

Augusto se formou em Sociologia, aos 24 anos. Tentei convencê-lo a seguir outro rumo, mas ele, polidamente, mostrou-me que não tinha vocação para outras profissões. No fundo, achei que aquele detalhe era irrelevante, afinal eu mesmo nunca havia feito uso do meu diploma para nada. O que realmente importava, a meu ver, era o fato de ele gostar de política e continuar entusiasmado com a ideia de me substituir.

Quando eu estava terminando o segundo mandato consecutivo, chegamos à esperada campanha na qual meu filho seria lançado candidato oficial do nosso partido. Havia uma grande expectativa no ar, e a turma do Olegário e do meu primo Fabiano – que havia conseguido se eleger vereador na eleição anterior – apostava todas as fichas na derrota do meu candidato, dizendo que eu não conseguiria transferir para ele os votos que eram meus.

Um dia, durante a campanha, eu estava passando pela rua quando vi o Olegário em cima de um palanque, microfone à mão, despejando maledicências sobre o Augusto:

– Eu não acredito que os eleitores desta cidade vão eleger um frangote para prefeito! O Augusto Borges é um fedelho recém-desmamado, que vai fazer na prefeitura o que há bem pouco tempo fazia nas fraldas...

Lembrei-me de ter ouvido aquelas mesmas ofensas há algumas décadas. Fora com aquele mesmo discurso difamatório que o Olegário havia me feito perder a primeira eleição que eu disputara com ele. Senti-me fortemente irritado. Cheio de ódio, dirigi-me ao palanque. Subi e, antes que percebessem a minha presença, eu já estava sobre o sujeito, cobrindo-o de socos e pontapés.

Foi um deus nos acuda! A briga, que teve início no

palanque, acabou se alastrando entre o povo que assistia ao comício e se prolongou. Ao final das contas, muita gente estava machucada; entre elas, o Olegário, em quem consegui acertar uma dúzia de sopapos.

Não sei quem me tirou daquela confusão e me levou para casa. Só sei que naquela noite voltei a sentir as irritantes pontadas no peito, mas não dei importância àquilo. As eleições estavam próximas demais, e fazer do Augusto o meu substituto na prefeitura era uma questão de honra.

Eu sabia que o meu coração era uma bomba-relógio, prestes a detonar a qualquer momento, mas não havia tempo para queixumes com doenças, consultas médicas e coisas assim. A campanha estava inflamada, e não era uma boa hora para se pensar em armistícios.

Não sei exatamente a que horas fui dormir naquela noite, mas não tive um sono tranquilo. Enfrentei pesadelos horríveis com pessoas vivas e mortas. Rolei na cama agoniado, reprisando na mente as palavras agressivas e jocosas do Olegário contra o meu filho.

E foi com grande desassossego que amarguei, sem saber, as últimas horas em que ainda estaria preso ao corpo físico que me sustentou naquela tumultuada encarnação. Por conta disso, eu iria enfrentar confusos e aflitivos desdobramentos em minha passagem.

Capítulo 20

REMORSO

Os povos que não vivem senão a vida do corpo, aqueles cuja grandeza não está fundada senão sobre a força e a extensão, nascem, crescem e morrem, porque a força de um povo se esgota como a de um homem. Aqueles cujas leis egoísticas discordam do progresso das luzes e da caridade, morrem porque a luz mata as trevas e a caridade mata o egoísmo. Mas há para os povos, como para os indivíduos, a vida da alma. Aqueles, cujas leis se harmonizam com as leis eternas do Criador, viverão e serão a luz dos outros povos.

O Livro dos Espíritos – Questão 788 – Boa Nova Editora

Na manhã seguinte, acordei me sentindo preso ao leito, sem possibilidade de me mover, ouvindo o padre anunciar a minha morte pelo alto-falante da igreja. Depois me vi deitado entre flores e velas, enquanto pessoas se curvavam sobre mim, benzendo-se e dizendo coisas ininteligíveis. Mais tarde, estive no cemitério, de onde escapei no momento em que pazadas de terra eram jogadas sobre o ataúde dentro do qual eu me encontrava.

Escapei de lá sem saber como, e fiquei esperando que alguém me socorresse. Enquanto esperava, fui remoendo lembranças e descobrindo, surpreso, a quantidade de erros cometidos ao longo da vida. Uma encarnação curta por sinal, com pouco mais de cinco décadas.

Vi desfilar em meu campo mental as vítimas de meus equívocos – pessoas que me acusavam de tê-las surrupiado, de tê-las privado dos seus direitos, de não tê-las suprido com atendimento médico nos postos de saúde, com remédio na farmácia pública, com equipamentos hospitalares necessários para intervenções cirúrgicas de que necessitavam. Homens, mulheres e crianças, alguns deles em estado lastimável. E todos com duas características comuns: estavam mortos e me odiavam.

O sentimento de culpa por tanta iniquidade crescia vertiginosamente dentro de mim. Senti-me enfraquecido, derrotado, odiado... Busquei algo em que me agarrar, e o que me veio de positivo foi a lembrança de minha mãe. Dona Generosa, com seus conselhos arrazoados, sua voz suave, seus gestos delicados... tantas vezes ignorados por mim.

Pela primeira vez senti uma vontade irresistível de chorar. Um misto de medo, insegurança, tristeza, decepção, arrependimento e sei lá mais o que promovia um rebuliço insuportável em minhas entranhas. Eu queria sair dali; ir para qualquer lugar, desde que houvesse uma réstia de luz, desde que me livrasse daquele desfile de fantasmas à minha frente.

No ápice do desespero, ouvi tênues sussurros:

– Reze, meu filho! Reze...

Rezar? Eu nunca havia rezado. Não possuía nenhuma oração decorada.

– Apenas fale com Deus! Peça ajuda! – persistiam os sussurros.

Concentrei o pensamento em uma força cósmica superior que pudesse me amparar. Não fazia a menor ideia de como era Deus, mas busquei me ligar a forças iluminadas, poderes extra-humanos, bondades infinitas, amores incondicionais... Implorei por ajuda. Minha súplica, banhada pelas lágrimas, soou estranha, porém sincera aos meus próprios ouvidos.

– Isso, meu filho! Abra o coração. Deixe o amor infinito do Criador aquecer a sua alma.

Os sussurros iam ganhando uma sonoridade mais clara, mais definida. Reconheci neles a voz de dona Generosa e me senti confortado.

– Mãe? É a senhora?

– Estou aqui, meu filho! Com a permissão do Mais Alto, vim ampará-lo.

– Onde estou?

– Onde a sua mente o situa. Num ambiente desagradável, infelizmente.

– Estou sofrendo muito...

– Eu sei. Tenho partilhado as suas dores.

– Estou morto?

– Fisicamente, sim.

– Foi por isso que não consegui sair da cama hoje de manhã?

– Exatamente. Mas não foi hoje de manhã.

– Não? Quando foi, então? Ontem? Anteontem?

– Não, meu filho! Já se passaram alguns anos!

Levei um susto tremendo. Fazia anos que eu estava naquela condição, pensando estar há apenas algumas horas refletindo sobre a vida, vivendo uma espécie de delírio, enquanto esperava que alguém me socorresse. Mas não se tratava de horas e eu não estava em minha cama, como supunha. Encontrava-me num ambiente hostil, denso e pesaroso. Estava acorrentado aos meus próprios julgamentos, acertando contas com a consciência culpada, ruminando a amarga colheita da má semeadura.

Aos poucos, minha mãe foi esclarecendo a situação. Ajudou-me a resgatar lembranças adormecidas. Respondeu com serenidade às minhas perguntas e tentou me tranquilizar ao dizer que Elma, Augusto e Netinho estavam bem.

Mas, ao lembrar-me do filho mais velho, voltei a me sentir mal, recordando-me de tê-lo preparado para seguir os meus passos.

– Estou preocupado com o Augusto. Preparei-o para ser igual a mim. Para cometer os mesmos equívocos que cometi – eu disse com voz amarga.

E bastou aquele sentimento de preocupação para gerar-me um grande desequilíbrio interior. Mesmo contra a vontade, fui me distanciando de minha mãe. Dona Generosa ficou chamando pelo meu nome, e eu tentei inutilmente me agarrar a ela. Tudo em vão!

Fui projetado para um lugar ainda mais sombrio do que o anterior. Ali permaneci por um tempo, sem conseguir me libertar do sentimento de culpa por ter orientado erroneamente o meu filho. Ficava imaginando-o em negociatas desonestas com os parasitas da prefeitura, desviando dinheiro público, enganando a população... exatamente como eu fizera.

E tudo aquilo para quê? Minha conta bancária ficara abarrotada; meus títulos honrosos amareleciam em suas molduras; a embriaguez ilusória do poder fora diluída pelas dores morais que eu amargava agora... Quais benefícios aquelas falcatruas me ofereciam? Podiam abrandar os meus tormentos? Não, não podiam! Concluí que o castelo erguido sobre alicerces ilegítimos não serve de abrigo nem de repouso para o espírito devedor.

Encontrava-me enleado nessas divagações, quando me pareceu ter ouvido a voz do Augusto dizendo qualquer coisa, mas não entendi bem o que era. Ergui-me num salto. Firmei os olhos e pude vê-lo numa imagem embaçada pela neblina. Pensei em correr para alcançá--lo, mas havia um abismo imenso entre nós. Ainda assim, não desanimei. Comecei a gritar:

– Augusto! Augusto! Sou eu, o seu pai...

Ele parou. Colocou as mãos em concha nos ouvidos, voltadas em minha direção, à imitação de duas antenas parabólicas. Lembrei-me de ter vivido aquele mesma experiência em outro momento de minha vida.

– Um *déjà vu*? – perguntei-me.

Voltei a ouvir a voz dele, mas estava muito distante:

– Pai? É o senhor?

– Sim. Preciso falar com você... Dar-lhe uns conselhos... – respondi aflito.

– Desculpe, não consigo ouvi-lo. Dá para chegar mais perto?

Desesperei-me. Tentei de todas as formas, mas era impossível atravessar ou contornar aquele abismo.

– Não dá, filho! Ouça-me, por favor!

– Não consigo, pai! Perdoe-me... Não consigo ouvi-lo... – e Augusto foi desaparecendo em meio à cerração.

Caí de joelhos e comecei a chorar copiosamente, recorrendo mais uma vez à prece e à piedade de quem pudesse me ajudar naquele momento. Mais uma vez, dona Generosa me socorreu.

– Acalme-se – disse ela, apoiando a mão em meu ombro.

– De que jeito? Por minha culpa, meu filho cometerá os mesmos erros que cometi e, quando chegar a sua vez de ajustar contas, passará pelos mesmos sofrimentos que eu tenho experimentado. Não quero isto para ele!

Ela me ajudou a levantar e disse:

– Por que você acha que tem de ser assim? Talvez o Augusto não esteja fazendo nada do que você imagina.

Olhei-a confuso. Seria uma forma de me tranquilizar?

– O que a senhora quer dizer com isso?

Ela sorriu e me estendeu a mão.

– Enxugue essas lágrimas e venha comigo. Há coisas que você precisa ver.

Não sei de que modo saímos daquele lugar. De repente, estávamos percorrendo as ruas da cidade, onde muita coisa havia mudado.

– O que aconteceu aqui? Por que a cidade está tão mais bonita, mais iluminada, limpa...?

Ela voltou a sorrir.

– Por que o Augusto está no segundo mandato como prefeito e vem realizando um excelente trabalho! Olha, Valentim, o colégio maravilhoso que ele construiu no lugar daquele antigo, que mais parecia um crematório, lembra-se?

Realmente, o colégio agora estava sediado num prédio novo, muito bonito e com confortáveis acomodações para as crianças. Depois fomos ao hospital e aos postos de saúde. Tudo funcionava maravilhosamente bem. As ruas estavam bem cuidadas e iluminadas, as praças limpas e floridas.

Eu olhava para tudo aquilo e não compreendia.

– Como o Augusto conseguiu fazer tudo isso em tão pouco tempo? – perguntei aturdido.

– Simples – ela exclamou. – Aplicando a verba pública nas necessidades públicas.

– Mas... E o pessoal do partido? Eles não o perturbaram?

– Bem que tentaram, mas não conseguiram nada. Ao final das contas, o Augusto acabou se sobrepondo a eles com a sua honestidade e o seu sincero comprometimento com os munícipes. Então eles tiveram duas opções: trabalhariam honestamente ou abandonariam a cidade. Alguns escolheram a primeira, e outros, a segunda opção.

Senti-me envergonhado por ter agido de modo tão diferente do meu filho; por ter cedido à chantagem daquela gente e cometido tantos desatinos. Mas, por outro lado, sentia-me também aliviado ao ver que pelo menos o Augusto estava fazendo a coisa certa.

Notando o meu constrangimento, minha mãe disse:

– Valentim, as trevas só existem onde a luz deixa

de atuar. Os propósitos de honestidade e decência do Augusto representam a luz que se sobrepôs às trevosas maquinações dos homens desonestos e egoístas que tentaram manipulá-lo. Pode-se dizer que esta cidade voltou a ser banhada pelo sol, depois de um congelante e trevoso inverno.

Essas palavras, mesmo ditas de forma serena, provocaram um abalo imenso em mim. Minha mãe não estava me julgando, mas eu tinha consciência de ter ajudado a alimentar aquelas trevas que meu filho ousava enfrentar de peito aberto, com coragem e determinação, utilizando para isso apenas o holofote moral do seu honroso caráter.

Capítulo 21

REVELAÇÕES

A doutrina da reencarnação, isto é, aquela que consiste em admitir para o homem várias existências sucessivas, é a única que responde à ideia que fazemos da justiça de Deus em relação aos homens colocados em uma condição moral inferior, a única que pode nos explicar o futuro e fundamentar nossas esperanças, uma vez que nos oferece o meio de resgatar nossos erros através de novas provas. A razão indica e os Espíritos a ensinam.

O Livro dos Espíritos – Questão 171 – Boa Nova Editora

Caminhamos até a praça central e nos sentamos nuns bancos recém-instalados ali. Um chafariz lançava para o alto jorros de água cristalina que eram perpassados pelo reflexo colorido das luzes de neon que iluminavam o ambiente. Fiquei pensando em como o Augusto era criativo e senti uma pontinha de orgulho por ter sido o seu pai. Lembrei-me de sua resposta quando perguntei por que queria ser prefeito da cidade, e ele, ainda menino, respondera com os olhinhos brilhando de euforia:

– Para cuidar de tudo isto!

Mas logo o meu sentimento de orgulho se esvaiu,

porque me lembrei também de não ter sido um bom exemplo a ser seguido por ele.

Minha mãe parecia perceber o meu desapontamento, pois sorria brandamente olhando em meu rosto. Quebrei o silêncio:

– E meu pai? Já que estou no mesmo plano que ele, eu poderei vê-lo?

– Seu pai não está mais neste plano – ela informou. – Ele está reencarnado como seu filho.

Levei um susto. Fiz umas contas.

– Mas assim tão rápido? Para ser meu filho, ele praticamente não ficou "do lado de cá".

– É verdade. Não é uma prática muito comum, mas há casos em que é permitido ou até mesmo imposto o breve retorno do Espírito a um novo corpo. Por alguma razão, foi considerado que o Conselheiro Borges deveria conviver com você na condição de seu filho.

– Então é o Augusto? – perguntei emocionado. – Quer dizer que o Augusto é a reencarnação do meu pai?

Minha mãe sorriu com tristeza e respondeu:

– Não, meu filho! Não é o Augusto. Para ser sincera, o Augusto é a reencarnação do meu avô Laurindo, lembra-se? O que era médium de cura. Ele tinha muita vontade de dar prosseguimento à tarefa de ajudar ao próximo, trabalho que havia iniciado naquela encarnação, quando fazia beberagens medicinais para aliviar as dores alheias. Então ele viu que podia realizar esse desejo reencarnando como seu filho e convivendo num ambiente onde se respirava política. Como governante do município, ele teria a oportunidade de ser útil a um número bem maior de pessoas. Agora esse universo se ampliará ainda mais, porque ele é o candidato mais bem cotado do partido para assumir um cargo de deputado nas próximas eleições.

Eu tentava organizar o pensamento. Tudo estava muito confuso.

– Espere... Deixe-me entender. Seu avô quis reencarnar como meu filho, mesmo conhecendo as minhas fraquezas? Mesmo sabendo que seria induzido a fazer tudo errado? A se tornar um político corrupto?

– Sim! Ele sabia que iria passar por essa provação, mas acreditava que poderia se impor moralmente sobre esses obstáculos. E foi isso que fez, graças a Deus!

– Mas, se o Augusto não é a reencarnação do meu pai, então é o Netinho? O Netinho é a reencarnação do Conselheiro Borges?

Ela sorriu novamente e fez um movimento negativo com a cabeça.

– Também não é o Netinho.

Suspirei fundo. Agora é que não estava mesmo entendendo nada.

– Desculpe-me, mãe, mas acho que estou enlouquecendo. A senhora disse que meu pai está reencarnado como meu filho, mas que não é o Augusto nem o Netinho...

– O Netinho é a reencarnação de uma pessoa muito ligada ao pai da Elma, Valentim! Na verdade se trata de um Espírito bastante elevado, comprometido com a defesa e proteção dos animais. Ele tem por missão implantar na fazenda do avô métodos modernos para o abate dos animais que ali são comercializados. Esses métodos, que já estão sendo utilizados em países mais desenvolvidos, têm por objetivo fazer com que os animais sejam abatidos de modo a não sofrerem estresse nem dor durante o procedimento. Intuitivamente, o Netinho se deixou conduzir por essa área profissional e está se formando em zootecnia numa importante faculdade da Europa. Seus estudos foram patrocinados pelo próprio avô.

Novamente precisei parar um pouco para me organizar mentalmente. As informações estavam se processando rápido demais.

– Espere... Isto faz sentido. Afinal, o Netinho sempre foi muito apegado à família da Elma e, desde muito novinho, adora cuidar dos bichos. Até aí, tudo bem, mas... Como é que o meu pai pode estar reencarnado como meu filho, se não é o Augusto nem o Netinho?

– Você quer saber quem é o Conselheiro Borges na atual encarnação?

– Sim! Quero muito! – eu disse enfaticamente.

Ela se levantou e me estendeu a mão.

– Então venha comigo.

Acompanhei-a numa confusa viagem, sem nem saber ao certo de que forma aquilo ocorria. Chegamos a um pequeno casebre. Deitado no chão, sobre um colchonete, um rapaz com visíveis deficiências físicas, olhos inexpressivos e ventre estufado permanecia estático, indiferente ao que ocorria à sua volta.

– Por que estamos aqui? Quem é este moço? – perguntei.

Minha mãe me olhou com serenidade.

– Você não queria ver o seu pai? Aí está ele. Seu nome agora é Joaquim, mas foi apelidado de Quincas, ou "Quincas do Brejo, o comedor de sapos", como dizem os mais cruéis. É assim que o chamam.

Levei um choque. Cheguei a pensar que era uma brincadeira de mau gosto, mas sabia que mamãe jamais brincaria com um assunto tão sério.

– Por favor, pelo menos me explique o que significa isto...

Ela fez um sinal para que eu a acompanhasse. Saímos do casebre e então eu reconheci o lugar. Estávamos na pequena vila familiar do Tião do Brejo. O casal, encurvado pelo peso da idade, conversava do lado de fora, sentado nuns tamboretes, indiferente à nossa presença. Encontravam-se bastante animados, falando sobre uma mudança que fariam em breve, mas eu estava tenso demais para prestar atenção ao assunto.

Eu e minha mãe nos acomodamos sobre uma pedra redonda, próximo ao leito do rio. Fiquei observando os pequenos redemoinhos formados pela correnteza, enquanto ela esclarecia:

– Valentim, o Quincas não é um filho temporão do senhor Sebastião e da dona Maria, como todos pensam. Ele é seu filho com a Suzana.

Arregalei meus olhos e os ergui, procurando os dela.

– Como assim? Do que a senhora está falando?

Ela pediu que eu me acalmasse e contou uma história incrível.

Na época em que terminamos o namoro, Suzana se mudou para a cidade onde moravam os parentes de sua madrinha. Somente três meses depois, ela percebeu que estava grávida. Por estar muito magoada comigo, decidiu que não queria aquela criança e resolveu abortá-la. Chegou a procurar uma pessoa para realizar o trabalho, mas na última hora teve medo e acabou desistindo.

Então ela e a madrinha combinaram de deixar a criança nascer e de entregá-la para adoção, nos primeiros dias de vida. Durante a gestação, andaram sondando discretamente possíveis pais adotivos, porém não chegaram a uma conclusão.

Quando o menino nasceu, Suzana teve a ideia de pedir aos pais dela que o adotassem, alegando tê-lo encontrado numa situação de miséria, abandonado pela mãe. Então ela viajou ao encontro dos pais, deixou o menino com eles e voltou para junto da madrinha.

Mesmo vivendo com tanta dificuldade, o casal se sensibilizou com a história do bebê abandonado e o adotou. Não se sabe se o fizeram por acreditar na mentira inventada por Suzana ou justamente por descrerem nela, percebendo logo que se tratava de um neto bastardo.

Para evitar especulações, os dois passaram a dizer que o Quincas era filho deles, e ninguém duvidou. A esposa do Tião era obesa e, com tantas gestações seguidas, uma gravidez a mais teria mesmo passado despercebida.

O menino não possuía boa saúde e teve muita dificuldade para sobreviver naquele ambiente inóspito, mas com o tempo foi se fortalecendo. Porém, num dia em que houve uma grande enchente no rio, a casa do Tião foi inundada, juntamente com o esgoto que era lançado no rio, sem tratamento. Quando as águas baixaram, uma semana depois, uma quantidade imensa de sujeira ficou para trás, e o Quincas contraiu uma grave infecção cerebral.

A família foi em busca de socorro, mas não conseguiu tratamento, pois o hospital estava sem médico, e os postos de saúde, fechados devido à greve dos funcionários, por atraso no pagamento da prefeitura. Sem recursos para recorrer a outra cidade, restou submeter o menino a um tratamento caseiro, que foi insuficiente para curá-lo.

Quincas sobreviveu, mas a enfermidade deixou graves sequelas como dificuldade para respirar, redução considerável da visão e da audição e um atrofiamento muscular que lhe comprometeu a fala e a mobilidade. Não havia mais a menor possibilidade de ele se tornar um adulto normal.

Ouvindo aquilo, lembrei-me do dia em que havia recebido o Tião, na prefeitura, achando que ele estivesse levando um recado da Suzana para mim. Fiquei irritado ao ver que estava enganado e ao ouvir as verdades que ele me disse. Por conta disso, não considerei seu apelo.

– Meu Deus! – eu disse, apertando a cabeça com as duas mãos. – Fui o culpado por tudo isso. À época, eu era o prefeito da cidade e nunca me preocupei em tratar do esgoto. Não pensei nas graves consequências que isso poderia gerar. Como pude ser tão irresponsável?

Minha mãe me olhava desolada. Queria me confortar, mas acho que não conseguia encontrar as palavras adequadas. Prossegui em meu doloroso depoimento:

– O Tião me procurou para se queixar de que estava com um filho doente e não conseguia tratá-lo. O rapazinho estava com ele, numa cadeira de rodas toda enferrujada, possivelmente catada num ferro-velho. Acho que ele levou o menino para tentar me sensibilizar. Eu fiquei nervoso com as acusações que ele me fazia sobre a má administração pública e o enxotei de lá. Então não era filho dele... Era o meu filho! Pior! Era a reencarnação do meu pai...

Eu revivia mentalmente as cenas ocorridas naquele dia e não me conformava.

– Condenei o Tião por ter me vendido o seu voto, esquecido de que, ao aceitar a proposta, eu estava tão errado quanto ele...

Por conta do desespero que estava começando a comprometer novamente a minha estabilidade emocional, minha mãe interferiu:

– Sossegue, Valentim! Essa atitude não vai ajudar em nada neste momento e pode atraí-lo novamente para ambientes hostis. Veja, a rápida reencarnação do seu pai foi a maneira encontrada para que vocês voltassem a conviver juntos. O Borges estava desesperado para corrigir as falhas cometidas. Ele esperava, estando ao seu lado, mesmo que protegido pela lei do esquecimento, poder arranjar um meio de desfazer os equívocos que acabou lhe passando como verdades.

– Mas eu nem soube da existência dele...

– Ele sabia que era uma operação de risco, mas decidiu pagar para ver. Apesar de ensiná-lo a ser tão preconceituoso, seu pai esperava que o amor que você sentia por Suzana pudesse induzi-lo a desposá-la. Se você tivesse priorizado o sentimento por ela, estaria garantido o convívio entre o Conselheiro e você ainda naquela encarnação. Infelizmente, as coisas não saíram como planejadas.

– Meu Deus! Então eu fiz tudo errado...

– Não é bem assim, filho! Deus é tão bondoso que até nos erros nos dá a oportunidade de alguns acertos. O seu casamento com Elma pode não ter sido um mar de rosas, mas permitiu a reencarnação do Augusto e do Netinho, Espíritos que têm importantes tarefas a cumprir na Terra. Não podemos nos esquecer também de que o seu pai teve responsabilidades em sua decisão. Foi ele que o ensinou a ser preconceituoso e a encarar as pessoas pobres como seres inferiores, fadados ao fracasso. Foi por causa disso que você rejeitou a Suzana. Lembra-se de quando disse para o Fabiano que não queria ter filhos com o DNA de fracasso do avô "comedor de sapos"?

Acenei a cabeça concordando. Eu realmente havia dito aquilo e agora me sentia muito mal.

– E por que o menino continua vivendo com os avós? Por que a Suzana não o levou para morar com ela e o Fabiano? – perguntei aflito.

– Porque o Fabiano também não sabe que o Quincas é filho dela. Suzana teve medo de contar e ser rejeitada por ele. Este é um segredo que está muito bem guardado e que pouca gente conhece. Aliás, Valentim, a história que envolve todos vocês é muito antiga, e eu acho que chegou o momento de você se recordar dela.

Capítulo 22

PROMESSA

Quando estivermos, nós mesmos, no mundo dos Espíritos, todo o nosso passado estando a descoberto, o bem e o mal que tivermos feito serão igualmente conhecidos. É em vão que aquele que fez o mal queira escapar da visão de suas vítimas: sua presença inevitável será para ele um castigo e um remorso incessante até que tenha expiado seus erros, enquanto que o homem de bem, ao contrário, não encontrará por toda parte senão olhares amigos e benevolentes.

O Livro dos Espíritos – Questão 977 – Boa Nova Editora

A seguir, num misto de depoimento e de projeções mentais que não tenho a menor noção de quanto tempo durou, fui esclarecido sobre muitas coisas importantes. Fiquei sabendo que a maioria das pessoas com quem tive um relacionamento mais íntimo naquela encarnação já fazia parte da minha vida em experiências passadas. Recordei-me de relevantes episódios da encarnação anterior.

Vi desfilarem em meu campo mental o Fabiano, a Elma e a Suzana, além de mim mesmo, como se eu fosse outra pessoa. Tínhamos nomes e fisionomias diferentes, mas não havia dúvida de que interiormente pouca coisa havia mudado em nós.

Os acontecimentos se davam no cenário de uma grande fazenda, num tempo não muito remoto. Eu era lavrador, Suzana era uma das serviçais da casa-grande e o Fabiano, um capataz severo, de semblante carrancudo. Eu e Suzana éramos noivos e estávamos de casamento marcado para breve.

Poucos meses antes do dia do nosso casamento, Elma, que era filha do fazendeiro que nos empregava, e que vivia em Portugal, retornou para junto da família. Era uma moça muito inteligente, porém desprovida de qualquer atrativo físico. Além disso, era bastante frustrada, pois já passava dos trinta anos e não havia se casado – o que à época dava às mulheres a classificação de "solteirona encalhada".

Mais até do que a falta de beleza física, o que provocava a debandada dos possíveis candidatos a marido era a sua personalidade agressiva, pois ela era extremamente inflexível, mandona e mimada.

Ao encontrar o ambiente da fazenda naquele clima de festa, já que Suzana era muito querida por todos, Elma ficou ressentida. Não admitia que uma simples serviçal obtivesse a alegria que ela, como patroa, não conseguia alcançar. Assim, a ideia de acabar com o casamento da moça se tornou uma obsessão em sua mente invejosa.

Eu era um jovem de boa aparência, trabalhador e responsável, mas não me conformava com a condição de pobreza em que vivia. No fundo, sonhava com a vida confortável que o pessoal da casa-grande levava, mas não via a menor possibilidade de conquistar riquezas.

Elma percebeu a minha natureza ambiciosa e, para coroar de êxito o projeto de destruir o casamento de sua serviçal, aproximou-se de mim com sedutoras argumentações para ficarmos juntos. Inicialmente, recusei com firmeza. Amava Suzana e não admitia a possibilidade de perdê-la. Depois, avaliando friamente a questão, achei que poderia levar algumas vantagens.

Elma havia dito que não esperava que eu me casasse com ela. Garantiu-me que se contentaria em ser minha amásia, e aquilo me pareceu interessante. Eu me casaria com a mulher que amava e manteria um caso extraconjugal por conveniência, angariando assim grandes favores em troca de encontros esporádicos.

Iniciamos um discreto romance, pelo qual passei a receber muitos agrados, como presentes caros e até mesmo ajuda financeira. E foi nesse clima de infidelidade que chegou o dia de minha união oficial com Suzana. Mas minha amante havia mentido ao se dizer satisfeita com a nossa escusa relação; seu objetivo era bem mais ardiloso.

Na manhã daquele dia, recebi um recado de Elma dizendo que queria se encontrar comigo, pois pretendia me dar um belo presente de casamento. Como a cerimônia estava marcada para o final da tarde, não vi problema algum em ir ao encontro dela, até porque estava curioso para saber que tipo de presente ganharia; desconfiava que seria uma bela quantia em dinheiro.

Estávamos no local combinado para os nossos encontros – uma cabana no meio da mata – quando Fabiano apareceu a cavalo, levando Suzana à garupa. Ele e Elma haviam combinado o flagrante, já que o capataz era apaixonado pela minha noiva e viu naquela ação a possibilidade de tirá-la de mim.

Fabiano havia contado a Suzana sobre a minha traição e dissera que tinha como provar que eu e Elma estávamos mantendo um caso.

– Seu noivo e sua patroa são amantes. Estão juntos neste momento e, se você quiser, posso levá-la até eles – afirmou o capataz.

Inicialmente, Suzana não lhe deu crédito. Porém, percebendo que tanto eu quanto Elma estávamos ausentes da fazenda naquele horário, acabou desconfiando. Aceitou a oferta do Fabiano e, conduzida por ele, chegou até nós.

Foi um golpe muito duro para a minha noiva. Em meio a um pranto de indignação e revolta, ela rompeu imediatamente o compromisso, sem me dar a menor chance de reconciliação. Inconformada, enfrentou dias de muita angústia e sofrimento. Nesse período, Fabiano ficou ciscando em torno dela, tentando conquistá-la, mas também não conseguiu nada. Suzana estava com o coração ferido demais para aceitar qualquer proposta afetiva.

Com o passar dos dias, vencida por tristeza e decepção, minha ex-noiva contraiu tuberculose e desencarnou em pouco tempo. As pessoas diziam que ela havia morrido de desgosto e passaram a lançar olhares acusativos sobre mim. Mas eu também me acusava pela morte prematura de Suzana e passei a conviver com um terrível sentimento de culpa. Para aliviar o remorso, procurei o abrigo ilusório da embriaguez, tornando-me um alcoólatra inveterado.

Elma, talvez arrependida do que havia feito, tentou

remediar a situação, propondo que nos casássemos. No entanto, o único sentimento que sobreviveu em meu coração em relação a ela foi um ódio imenso. Esquecido de que tudo aquilo só havia acontecido por causa da minha ambição e do meu egoísmo, transferi para ela e para o Fabiano a culpa pelo meu sofrimento e pela morte de Suzana.

O ódio entre mim e o capataz da fazenda, também frustrado por não ter alcançado seu objetivo, cresceu de tal modo, que o lugar ficou pequeno demais para nós dois. Depois de vários entreveros, decidimos resolver a questão por meio de um duelo. Fomos para um lugar ermo e nos enfrentamos sem testemunhas. Bem mais experiente e possuidor de uma natureza mais embrutecida, Fabiano me venceu com certa facilidade e abandonou meu corpo no meio do matagal.

Após meu desencarne, enfrentei terríveis sofrimentos morais, vagando por lugares tenebrosos, amargando sentimentos de mágoa e remorso. Depois de um longo tempo, localizei Suzana, que também estava em sofrimento no plano espiritual e, apesar de tudo o que acontecera, continuava me amando. Ela não disse isso assim, abertamente, mas seus olhos não conseguiram disfarçar.

Implorei que me perdoasse e prometi que, se tivesse a chance de conquistá-la novamente, não voltaria a cometer o erro do passado. Suzana titubeou. Disse não saber se ainda conseguiria confiar em mim, mas depois de muita relutância concordou em me dar uma nova oportunidade.

E foi assim que reencarnamos nas condições em que eu poderia provar o quanto havia mudado. Além de Suzana, a programação encarnatória incluía também a convivência com Fabiano e Elma, pois passaríamos pela prova do perdão. A convivência com Elma, apesar de tumultuada, até que foi satisfatória. Com o Fabiano foi razoável e, graças a Deus, eu não consegui levar a termo o intento de matá-lo. Se o tivesse assassinado, minha situação agora seria bem mais complicada.

Já em relação a Suzana, minha atitude provocou mais um desapontamento para o meu coração; outra grande decepção para ela e para mim mesmo. Eu havia falhado novamente, permitindo que sentimentos menores se sobrepusessem ao amor que deveria nos unir. Agora eu sabia de onde provinha aquela tristeza no olhar dela. Era, inconscientemente, uma forma de reavivar a decepção do passado. Era como se ela estivesse me dizendo: "Valentim, você é um péssimo cumpridor de promessas!"

Capítulo 23

RESPOSTA

Deus colocou no coração do homem a regra de toda a verdadeira justiça, pelo desejo de cada um de ver respeitar seus direitos. Na incerteza do que deve fazer em relação ao seu semelhante em uma dada circunstância, o homem se pergunta como desejaria que se fizesse para com ele em circunstância semelhante: Deus não poderia lhe dar um guia mais seguro do que a sua própria consciência.

O Livro dos Espíritos – Questão 876 – Boa Nova Editora

As informações sobre minha encarnação anterior me deixaram ainda mais desnorteado. Imerso em tantas novidades, custei a perceber que estava ainda no vilarejo familiar do Tião do Brejo. Então retornei para o interior do casebre e fiquei observando toda aquela pobreza. Tentei imaginar o poderoso Conselheiro Borges com o seu dinheiro, a sua inteligência e o seu poder confinado agora naquele corpinho aleijado, relegado a uma vida tão miserável.

Difícil acreditar, mas era exatamente aquilo que elucidava a resposta à pergunta que décadas atrás eu pensara em fazer a ele e que ficara em suspenso, possivelmente pela minha falta de maturidade: "Que critério Deus usa para definir a sorte das pessoas?"

Agora eu era testemunha ocular da resposta: "Merecimento. Efeitos das causas anteriores. Não é Deus quem define; é o próprio universo, no cumprimento de suas leis perfeitas e inexoráveis – e devidamente gravadas na consciência humana –, que situa cada ser no ambiente que ele próprio construiu".

Dona Generosa pousou levemente a mão em meu ombro. Ela sabia exatamente o que estava se passando em meus pensamentos.

– Nada se perde, quando se trata de aprendizado, meu filho. A oportunidade que o seu pai está tendo de ser cuidado pelo homem por quem tinha tanto desprezo será uma lição inesquecível para ele e poderá transformá-lo num ser renovado, numa pessoa mais humilde, sensata e humanitária.

Tive de concordar com ela. Realmente era uma grande lição para ele, mas servia também para mim. Depois de todo aquele poder, empáfia e orgulho, o Conselheiro estava ali, dependendo da caridade dos outros até para matar a fome e a sede, já que, por conta da falta de coordenação motora, os alimentos e a água precisavam ser colocados em sua boca.

A dureza daquela realidade me deixava apreensivo e inseguro quanto ao meu próprio futuro. De repente, tive a impressão de que o Quincas conseguiu me enxergar. Ele ficou olhando em minha direção e ameaçou um sorriso que lhe entortou sutilmente o canto da boca. Eu não tive certeza de isso ter ocorrido de fato ou de ter sido apenas uma impressão, já que ele se encontrava no plano material e eu, no plano espiritual.

Lembrei-me da Marina, neta do caseiro Targino, que um dia dissera ter visto pessoas mortas ao meu lado. Teria o Quincas a mesma faculdade mediúnica daquela menina?

Estava absorto nesses pensamentos quando minha mãe me chamou para irmos embora. Deixamos o pobre vilarejo e fomos para um bairro novo da cidade. Ali estava sendo construído um condomínio de casas populares. Eram construções simples, mas tudo muito bem organizado, limpo e bonito. As ruas asfaltadas, arborizadas, bem iluminadas; o saneamento perfeito, com água encanada e ótimo sistema de esgoto.

– O que é isso? – perguntei assombrado.

Ela abriu um largo sorriso.

– Um projeto habitacional que o Augusto está concretizando, numa importante parceria com os governos estadual e federal. É destinado aos munícipes que vivem em áreas de risco. A boa notícia é que os familiares do senhor Sebastião foram os primeiros contemplados e dentro de alguns dias virão morar aqui. Isto não é maravilhoso?

Fechei os olhos e respirei fundo, extravasando um sentimento de alívio.

– Então significa que...

– Significa que, graças à iniciativa do Augusto, o Quincas terá uma vida mais digna daqui por diante – atalhou minha mãe. E completou a informação: – Ah, e o lugar onde a família do senhor Sebastião mora atualmente será revitalizado com um projeto ambiental para proteger o rio. Nenhuma outra construção será permitida naquele local.

Uma mistura de alegria por ver o empreendedorismo do meu filho e constrangimento por não haver dado a menor contribuição para que aquilo se concretizasse me deixou paralisado.

– Mas... Mas como o Augusto conseguiu todas essas realizações?

– Trabalhando sério, buscando parcerias adequadas, fazendo política com honestidade, transparência, competência e, principalmente, com respeito e amor ao próximo. Percebe, Valentim, que o que faz a grande diferença na maneira de governar, assim como no modo de conduzir a vida, é exatamente a capacidade de amar o próximo? Sem esse amor, o egoísmo, a arrogância e a ambição colocam tudo a perder. Mas, quando se pratica o amor, o universo conspira a favor e tudo flui positivamente.

Mais uma vez, senti-me constrangido, mas procurei absorver cada palavra que minha mãe disse. A lição que recebia era importante demais para ser ignorada, e eu queria muito que ela ficasse gravada eternamente em minha consciência.

Eu ainda estava sob o impacto daquelas surpresas, quando dona Generosa me estendeu a mão novamente.

– Agora chega de passeios, meu filho! Acho que tudo o que você viu e ouviu já é suficiente para acalmar o seu espírito e fortalecê-lo para as provações futuras. Vamos?

– Para onde? Fazer o quê? – eu perguntei inseguro.

– Vamos dar seguimento à vida.

– Depois de morto? – questionei sem pensar.

Minha mãe começou a rir.

– E quem é que está morto aqui, meu filho?

Apesar de estar apreensivo, não consegui me conter e comecei a rir junto com ela. Era a primeira vez que voltava a rir, depois de tanto tempo.

Olhei para minha mãe e, sem conseguir disfarçar a sombra de insegurança que me envolvia, indaguei:

– O que está reservado para mim? Que provações terei de enfrentar?

Ela segurou as minhas mãos e, olhando-me nos olhos, encorajou-me:

– Não sei exatamente, meu filho, mas peço-lhe que confie na misericórdia divina! O arrependimento é o primeiro estágio para se alcançar a libertação. Depois dele vêm a expiação e a reparação, que nos purificam. O aprendizado o espera, mas não o encare como castigo, porque ele trará o benefício maravilhoso do crescimento moral. No estágio evolutivo em que nos encontramos, ainda não podemos nos dar ao luxo de dispensar a dor, mas fica o consolo de saber que ela perdura em nós apenas o tempo necessário para nos curar de nossas próprias imperfeições.

A segurança com que ela me disse aquelas palavras me deu coragem para enfrentar as provações futuras, fossem quais fossem. Uma certeza começava a se fortalecer em meu íntimo: depois de tudo o que aprendi, eu estava convicto de que faria bem melhor da próxima vez que me fosse dada a oportunidade de recomeçar a tarefa inacabada.

Demonstrando ter captado o meu pensamento, dona Generosa me disse:

– Valentim, é aqui, em nossa pátria de origem, que descobrimos o que realmente tem valor para nós. Aqui, onde tudo é verdadeiro, não são as conquistas materiais que importam, porém os tesouros amealhados no campo moral. Porque, para Deus, senhor de todas as riquezas, o que conta são as eternas virtudes do amor cultivadas em nós e praticadas em nosso dia a dia. Peça com sincera humildade ao Criador, e Ele lhe dará forças para combater as más inclinações e a se preparar melhor para a próxima oportunidade de trabalho e crescimento.

Capítulo 24

EPÍLOGO

Dando ao Espírito a liberdade de escolha, [Deus] deixa-lhe toda a responsabilidade de seus atos e suas consequências; nada entrava o seu futuro; o caminho do bem, como o do mal, está para ele. Se sucumbe, resta-lhe uma consolação, é que tudo não se acaba para ele, e que Deus, em sua bondade, deixa-lhe livre para recomeçar o que fez mal.

O Livro dos Espíritos – Questão 258-a – Boa Nova Editora

Eu e minha mãe nos abraçamos comovidos. Percebi que havia um clima de despedida no ar. Certamente ela havia cumprido o papel de me orientar e agora precisava seguir o seu próprio destino. Porém, antes que ela se fosse, eu finalmente consegui fazer um pedido que desejava muito, mas que vinha adiando por questões óbvias:

– Mãe, será que eu poderia ver como a Suzana está?

Ela me lançou um olhar efusivo.

– Até que enfim, meu filho! Eu estava estranhando o fato de você não ter pedido isso antes.

Baixei os olhos.

– É que eu estava em dúvida sobre se deveria... Sei lá, fiz tanto mal a ela...

– Deixe de bobagem! Venha! – disse dona Generosa, interrompendo-me e estendendo a mão.

Achei que fôssemos para a residência onde Suzana morava com o Fabiano, mas voltamos ao casebre do Tião do Brejo, mais precisamente para o cômodo onde o Quincas se encontrava. Ele estava deitado na mesma posição, os olhos parados fitando o vazio. O único movimento que fazia era o respiratório.

De repente, uma surpresa: a cortina de fitas plásticas do portalzinho que separava aquele cômodo dos demais se abriu num movimento brusco, e Suzana entrou com uma bacia de água morna. Despiu o filho e começou a banhá-lo cerimoniosamente, assobiando uma canção nostálgica.

– O que Suzana está fazendo aqui? – perguntei chocado.

– Ela voltou a morar com os pais – disse minha mãe. – A vida em comum com o Fabiano não deu certo, e eles se separaram logo depois que você desencarnou. A verdade é que Suzana sentiu muito a sua morte e não conseguiu esconder esse sentimento do marido. Ele teve uma crise de ciúmes e os dois entraram em conflito. Depois de um período de brigas e acusações, Suzana decidiu abandoná-lo.

Aquela informação me deixou ainda mais surpreso. Eu não sabia se me entristecia ou me alegrava, mas com certeza aquilo serviu para aumentar o meu arrependimento por ter falhado com ela. Minha mãe percebeu o quanto eu estava desconfortável e falou:

– Assim como o seu casamento com a Elma, a relação entre Suzana e Fabiano não era alicerçada num amor verdadeiro, Valentim. Foram uniões fortuitas, desencadeadas pelas conveniências. Relacionamentos movidos pelo amor são bem diferentes.

Fiquei olhando para Suzana e senti o coração oprimido. Notei que ela havia envelhecido precocemente. Estava descalça e usava um vestido roto, de tecido barato. Vários fios de seus cabelos negros estavam prateados. Algumas rugas lhe demarcavam o rosto, e seus olhos ainda irradiavam aquele brilho de tristeza que tantas vezes me intrigara.

Tudo o que eu desejava agora era uma nova oportunidade de me reencontrar com ela. Haveria essa possibilidade? Eu esperava que sim, mas só o futuro poderia responder a essa pergunta.

Aproximei-me cauteloso e fiz uma leve carícia em seus cabelos. Suzana demonstrou ter percebido a minha presença. Ergueu o rosto e, de olhos fechados, esboçou um sorriso.

– Valentim! – sussurrou.

Recuei surpreso. Ela estaria me vendo?

– Se for mesmo verdade que existe vida depois da morte – Suzana prosseguiu –, e se você estiver me ouvindo, saiba que, apesar de tudo o que aconteceu, eu continuo amando-o com a mesma intensidade de antes, meu único e inesquecível amor!

Aquelas palavras aqueceram o meu coração e fizeram brotar em meus olhos as lágrimas mais sinceras que a alma humana pode produzir. E foi com firme convicção que me aproximei e sussurrei nos ouvidos dela:

– Eu também a amo, Suzana! E prometo que nunca mais serei motivo de decepção e sofrimento para você.

Permaneci por um tempo junto dela, envolvido pela intensidade daquele sentimento que transcendia os laços físicos. Era um amor todo espiritual!

Mas eu não podia ficar ali. Precisava dar curso à vida. Para onde iria? O que me esperava? Eu ainda não sabia, mas já não sentia medo ou insegurança. Agora tinha certeza do que queria, e essa certeza me dava forças para seguir adiante e enfrentar o futuro com coragem, fé e determinação.

Uma leve brisa envolveu o ambiente e trouxe ao meu olfato o perfume suave de Suzana, fundindo nas mesmas vibrações de afeto os diferentes planos onde nos encontrávamos. Era a consoladora constatação de que as eternas virtudes do amor são tão imortais quanto a própria existência de quem as cultiva.

Nova Chance para a Vida

Roberto de Carvalho ditado pelo espírito Francisco

Cassiano desejava sair do interior, mudar-se para São Paulo e cursar a faculdade de Administração, mas uma gravidez indesejada na juventude, fruto de uma noite impensada com Rebeca, exigiu que ele adiasse seus planos para fazer parte de uma família na qual não era bem-vindo. Depois de um tempo, disposto a abandonar Rebeca e o filho Eduzinho, bem como deixar para trás as humilhações pelas quais passava constantemente na pequena cidade em que vivia, fosse por causa do sogro, fosse devido às discussões com a esposa, Cassiano desejava uma nova chance. Porém, já em São Paulo, mas em situação desoladora, são os encontros com a mãe já falecida, por meio de sonhos, que o motivarão a superar os erros do passado. A forte ligação entre ambos incentivará o rapaz a seguir um caminho de fé e perseverança. A obra recorda os ensinamentos espíritas tanto na trajetória do protagonista quanto na abertura de cada capítulo, que traz citações d´O Evangelho segundo o Espiritismo e d´O Livro dos Espíritos , publicações de Allan Kardec que abordam aspectos do ser humano na perspectiva da doutrina.

256 páginas

Romance | 16x23 cm | 978-85-8353-023-7

RENOVANDO ATITUDES

Francisco do Espírito Santo Neto/Hammed

Filosófico | 14x21 cm | 248 páginas | ISBN 978-85-99772-61-4

Elaborado a partir do estudo e análise de 'O Evangelho Segundo o Espiritismo', o autor espiritual Hammed afirma que somente podemos nos transformar até onde conseguirmos nos perceber. Ensina-nos como ampliar a consciência, sobretudo através da análise das emoções e sentimentos, incentivando-nos a modificar os nossos comportamentos inadequados e a assumir a responsabilidade pela nossa própria vida.